LA RÉPUBLIQUE DOMINICAINE

LES ÉDITIONS QUEBECOR
une division de Groupe Quebecor inc.
7, chemin Bates
Bureau 100
Outremont (Québec)
H2V 1A6

Dépôt légal, 4e trimestre 1993

Bibliothèque nationale du Québec
Bibliothèque nationale du Canada
ISBN : 2-89089-951-9

Distribution : Québec Livres

Éditeur : Jacques Simard
Coordonnatrice à la production : Sylvie Archambault
Photo de la page couverture : Tony Stone / C. Condina
Conception de la page couverture : Bernard Langlois
Révision : Yvon Patrice
Correction d'épreuves : Claire Campeau
Composition et montage : TDT Laser+

Impression : Imprimerie L'Éclaireur

LA RÉPUBLIQUE DOMINICAINE

MONIQUE L. PATRICE

Avant-propos

Ce petit livre sur la République Dominicaine est le premier d'une série qui présentera les «Destinations Soleil». Il se veut à la fois instructif et pratique.

Instructif, parce qu'il fournit, dans sa première partie, des renseignements sur l'histoire de la République Dominicaine, sur sa situation actuelle, ainsi que sur chacune de ses régions.

Pratique, parce que, dans sa seconde partie, il foisonne de renseignements concrets, de mises en garde et de conseils, faciles à retracer, parce que classés par ordre alphabétique, ce qui vous permet d'avoir accès rapidement à toute information désirée.

Son format pratique, «peu encombrant», se glisse facilement dans la poche ou le sac à main.

Tel qu'il est conçu, ce livre pourra être utile aussi bien pour le tourisme individuel que pour le voyage à forfait.

Ce livre a été rédigé par Monique L. Patrice, conseillère en voyages à Voyages Crémazie à Montréal et enseignante au Centre de formation en tourisme, Collège April-Fortier à Montréal.

N.B. : Afin d'alléger le texte, on utilisera l'abréviation R.D. au lieu d'écrire en entier République Dominicaine.

Table des matières

PREMIÈRE PARTIE

La République Dominicaine et ses régions

La **République Dominicaine** occupe, avec Haïti, la deuxième plus grande île des Caraïbes après Cuba (Hispaniola). La surface totale de l'île est d'environ 72 000 km^2 et la R.D. dispose d'environ 48 000 km^2. Sa capitale, Santo Domingo (peuplée de plus de 2 000 000 d'habitants), a été fondée par Bartolomé Colón (frère de Christophe Colomb) le 4 août 1496. On peut dire que c'est d'ici qu'est partie la civilisation américaine.

Située au cœur des Caraïbes, la R.D. se trouve géographiquement au point de convergence de la plupart des routes euro-américaines.

C'est un pays de grands contrastes; son territoire est accidenté et formé de : savanes, de montagnes et de vallées. Le climat y est tout à fait agréable; le soleil est presque constamment de la partie, même si les pluies y arrosent toute l'année une terre fertile.

Pour le vacancier, la R.D., ce sont des plages à perte de vue, aux contours variés : anses, baies, récifs de corail... À sa végétation et à ses plages, s'ajoutent plusieurs variétés d'oiseaux qui viennent égayer l'atmosphère de leurs chants.

A – BREF HISTORIQUE DE LA RÉPUBLIQUE DOMINICAINE

1492 - Christophe Colomb découvre cette île lors de son premier voyage au Nouveau Monde et lui donne le nom d'**Hispaniola.**

1493 - L'année suivante, la première colonie européenne permanente s'installe à Hispaniola.

1496 - Trois ans plus tard, Bartolomé Colón fonde Santo Domingo, capitale du pays naissant. Santo Domingo devient bientôt un centre florissant de la culture européenne et sert de port d'attache à plusieurs grands explorateurs. C'est à cette époque que sont construits, sur son sol, le premier hôpital, la première université et la première cathédrale de l'hémisphère occidental. Pendant que la plupart des îles des Caraïbes traversent une période latente de pêche et d'agriculture, Santo Domingo vit une ère d'intense expansion et de croissance.

L'Espagne essaie alors désespérément de maintenir son emprise sur cette colonie, la plus belle et la plus stratégique de l'empire espagnol. Mais le peuple dominicain désire jouir de sa liberté aussi désespérément!

1844 - Même si l'indépendance est proclamée en 1821, elle ne devient effective qu'en 1844, lorsque **Juan Pablo Duarte**, le fondateur de la R.D., qui prend alors son nom définitif, mène la lutte pour l'affranchissement du pays de la domination haïtienne. Plusieurs régimes autoritaires et dictatoriaux se succèdent jusqu'à l'instauration de la démocratie en 1966.

1930 à 1961 - La R.D. est dirigée par le dictateur **Trujillo** et encore aujourd'hui plusieurs atlas présentent Santo Domingo comme «la ville de Trujillo».

1965 - Le gouvernement Balaguer prend le pouvoir.

1966 - Première élection démocratique.

1978 - A. Guzman se retrouve à la tête du pays et «dépolitise» l'armée en renvoyant 23 généraux.

1986 - Joachim Balaguer redevient chef de l'État.

1990 - Réélu le 16 mars 1990, **Joachim Balaguer** a multiplié depuis des déclarations contradictoires. En réponse aux pressions syndicales qui, en 1992, lui demandaient de démissionner, ce président aveugle a annoncé qu'il ne se représenterait pas en 1994, alors qu'il sera dans sa 86e année.

B – LA RÉPUBLIQUE DOMINICAINE AUJOURD'HUI

Habitée par quelque 7 000 000 d'habitants, la R.D. demeure un pays pauvre et une large partie de la population continue à y souffrir de malnutrition et de chômage. Sa communauté est composée de Blancs et de Noirs qui côtoient diverses ethnies : Chinois, Japonais, Juifs, Allemands, Libanais...

• Gouvernement

Le gouvernement de la R.D. sert d'exemple de démocratie à toutes les Caraïbes. Il a été modelé sur celui des É.-U., offrant aux Dominicains la stabilité, l'égalité, la justice et la liberté.

Le gouvernement se divise en trois pouvoirs : exécutif, législatif et judiciaire. Le président est élu tous les quatre ans, le 16 mai, et, comme dans la plupart des pays démocratiques, plusieurs partis politiques cherchent à obtenir la majorité. Le président nomme les gouverneurs des quelque trente provinces; le pouvoir judiciaire nomme les membres du Sénat.

• Profil culturel

Quoique la R.D. ait traversé des périodes difficiles – dictatures, invasions, corruptions –, son peuple reste chaleureux, optimiste, aimant la vie et les enfants, et, par-dessus tout, son pays et ses héros.

La R.D. est fondamentalement une société mâle, où la femme joue un rôle secondaire; le crime passionnel y demeure fréquent.

Les Dominicains adorent danser: *merengue*, *cumbia*, *salsa*. La danse est pour eux une forme d'expression, presque une drogue qui les aide à vivre, à accepter la vie comme elle se présente.

• Éducation

Bien que l'école soit officiellement obligatoire jusqu'à 16 ans, nombreux sont ceux qui l'auront peu fréquentée puisque l'école, dans les faits, se rend dans les régions les plus reculées du pays depuis quelques années seulement. Aussi, même si le pays s'est doté de trois universités, la majorité de la population alphabétisée n'aura complété que le cours primaire et les personnes âgées n'auront pas connu l'alphabétisation. Il faut reconnaître, cependant, que, après Cuba, c'est la R.D. qui compte le plus de diplômés universitaires de toutes les Caraïbes.

• EN BREF...

L'histoire survit en R.D. Des forts anciens continuent de monter la garde dans l'île. Églises, monuments, parcs, ruines et musées offrent leurs secrets aux visiteurs. Et ce que les sites historiques ne vous dévoilent pas, le peuple dominicain vous l'apprend. Ce peuple est fier de son histoire. Et il est fier tout court.

La R.D. est un endroit unique pour des vacances : gens amicaux, climat agréable, histoire et architecture intéressantes, nombreuses attractions (sports, vie nocturne), paix, tranquillité... Il y en a pour tous les goûts.

C – LES RÉGIONS

LE NORD-OUEST
(El Norœste)

C'est la région la plus éloignée de Santo Domingo, qui s'étend des alentours de **Navarrete,** près de Santiago, jusqu'à la frontière nord-ouest de **Dajabon,** frontière qui mène vers Haïti en passant par la **Restauracion**.

Cette région est essentiellement constituée de la vallée du **Yaque del Norte,** nom du fleuve qui traverse le pays tout entier jusqu'à son embouchure à **Monte Cristi.** Ses eaux sont difficiles à capter et l'agriculture de cette zone n'est pas prospère dans la vallée à cause du manque de canaux d'irrigation. En général, son sol, calcaire ou sablonneux, ne retient pas l'eau et est enclin à l'érosion.

En prenant la route de Santiago vers Monte Cristi, le voyageur fait face à un paysage inhospitalier mais fascinant. La végétation de cette région est très sèche, composée de cactus et de ronces à cause du peu de pluie qu'elle reçoit. Elle a été le théâtre de plusieurs des batailles qui ont marqué la guerre de l'Indépendance au siècle dernier. Les maisons, le long du chemin, reflètent la vie dure que mènent ses habitants.

Le Nord-Ouest a de belles plages comme celle de **Punta Rucia** et **El Morro**. L'abondante faune marine fait de **Monte Cristi** un endroit recherché pour la pêche; sa marina est très fréquentée et on y trouve même un club de pêcheurs.

Naturellement, les plats typiques sont à base de fruits de mer bien qu'on puisse également y déguster le ragoût de *cabri* à la sauce piquante (une espèce de chèvre qui s'adapte bien aux régions sèches), l'un des mets les plus demandés dans les petits restaurants qui bordent la route.

Cette région rejoint les premiers chaînons du Massif central, qui font de **Dajabon** un endroit idéal pour l'élevage. L'État y a installé des bureaux d'immigration et de douanes pour passer en Haïti, pays voisin.

Dans le Nord-Ouest, **el Islote de los Siete Hermanos** et **el Morro de Monte Cristi** sont à voir.

LA CÔTE NORD
(La Costa Norte : la côte Atlantique)

La **Côte Nord**, appelée aussi «**côte de l'ambre**» ou *Costa del Ambar,* est mieux connue sous le nom de **Puerto Plata.** Elle commence avec la ville de **La Isabella**, nommée ainsi le 10 décembre 1493, par Christophe Colomb à son arrivée en Amérique, en l'honneur de la reine Isabelle d'Espagne, la Catholique. La Isabella fut le premier siège d'un gouvernement de style européen dans le Nouveau Monde (en terre américaine). C'est là, également, que fut créé le premier tribunal de justice. La Côte Nord se rend juqu'à **Nagua** qui touche la péninsule de Samana; elle comprend les villes suivantes : **La Isabella, Puerto Plata, Playa Dorada, Sosua, Cabarete, Sabaneta, Gaspar Hernandez, Baya Escondida, Rio San Juan, Playa Grande, Cabo Frances Viejo, Cabrera, Playa Boba et Nagua.**

La chaîne de montagnes qui limite la région vers le sud, la **Cordillera Septentrional**, est riche en gisements d'ambre. La Côte Nord est baignée par les eaux de l'Atlantique. Ses plages sont protégées par des récifs coralliens pour le bonheur des adeptes de la plongée sous-marine. Les poissons, particulièrement ceux des profondeurs, y sont abondants.

La région est reconnue pour sa production laitière. Le lait sert à préparer une boisson locale, la *boruga,* lait caillé, qui, en plus d'être délicieuse et désaltérante, est nutritive. Outre le lait, elle contient de la lime et du sucre.

La **Costa del Ambar** possède en plus de ses plages ensoleillées, un trésor des plus précieux. C'est là, en effet, qu'on trouve les plus fabuleux dépôts d'ambre au monde.

PUERTO PLATA

Puerto Plata (75 000 habitants) se situe entre l'Atlantique et la montagne à 225 km de Santo Domingo. Fondée en 1502, cette ville présente dans sa zone urbaine un très beau mélange de constructions coloniales. Elle est, de toutes les villes dominicaines, celle qui possède le plus le style des Caraïbes avec ses maisons de bois aux couleurs vives, qui lui donnent un caractère presque rural malgré l'achalandage touristique. On y offre tout ce qu'un vacancier peut s'attendre à trouver : de bons restaurants, des boutiques pour tous les goûts, des bijouteries, des bars, des discothèques, des cinémas.

En résumé, on peut dire que Puerto Plata est la petite ville par excellence pour flâner, rêver, observer, admirer. Elle a beaucoup de charme avec ses architectures coloniale, victorienne, dominicaine et moderne.

Puerto Plata est desservie par un bon réseau routier, un aéroport international, une voie maritime et des installations portuaires permettant l'accès aux bateaux de croisière. Puerto Plata est le centre historique, culturel et politique de la Côte Nord; c'est aussi une station balnéaire très populaire avec ses 125 km de plages publiques. Cette ville a été la première ville dominicaine fréquentée par les touristes dont le séjour se limite souvent à cette région. Aujourd'hui, Puerto Plata, dotée d'une infrastructure touristique excellente, vit, en grande partie, par et pour le tourisme, même si une bonne partie de sa population se consacre à la pêche.

EXCURSIONS ET ATTRACTIONS

De Puerto Plata, on a accès à presque toutes les excursions offertes en R.D. (voir Renseignements pratiques).

Pour avoir une vue panoramique de la ville et de l'océan, il faut prendre le téléphérique (funiculaire), le seul des Caraïbes, installé sur le **mont Isabel de Torres** au pied duquel Don Bartolomé Colón fonda un village, aujourd'hui **Puerto Plata**. Sur cette montagne, haute de quelque 800 mètres, se trouve une grande statue dédiée au Christ Rédempteur et un magnifique parc où on peut se promener et relaxer. On y trouve des boutiques de souvenirs et un restaurant. Le site est fermé les lundi et mercredi. L'entrée du funiculaire est dans la partie ouest et, quoique un peu en retrait du centre-ville, elle est facilement accessible.

- La **forteresse de San Felipe,** construction militaire commencée en 1540 et terminée en 1577, est la plus vieille des forteresses du Nouveau Monde; elle est aussi le seul vestige de la période coloniale à Puerto Plata. En effet, au XIXe siècle, un incendie a presque tout détruit à Puerto Plata. Le fort de San Felipe est le seul édifice qui a échappé aux flammes. Construit pour protéger le port contre les attaques des pirates, il a servi ensuite de prison. Restauré durant les années 1970, il est devenu un site historique. Une visite guidée permet d'apprendre l'histoire tumultueuse de la ville; on peut y voir aussi une importante collection d'armes. La forteresse est ouverte tous les jours de 9 h à 12 h et de 15 h à 17 h.

- **Le musée d'ambre**, petit musée sans prétention, logé au 2e étage d'une luxueuse maison victorienne, vous renseigne sur l'histoire et les particularités de la précieuse résine. Plus de 200 pièces exceptionnelles y sont exposées. Il est ouvert du lundi au samedi : 61, rue Duarte, (891)586-2848.

- **La fabrique du rhum Brugal** mérite une visite. Il est agréable aussi de se promener dans les marchés couverts.

OÙ ACHETER

Il existe des dizaines de «petites boutiques», où le marchandage est de mise; attention, cependant, les prix y sont souvent trop élevés au départ. Un magasin qui affiche moitié prix en permanence n'offre pas nécessairement les meilleurs prix.

GALERIES D'ART

Il y a deux galeries d'art à Puerto Plata :

Galerie Rafael Arzeno Tavares
27, rue J.-F. Kennedy

Lar Gift Shop
15, rue J.-F. Kennedy.

On y trouve une grande variété de poupées authentiques «lime».

VIE NOCTURNE

(autant pour les habitants de la région que pour les touristes)

- le **parc Central** (jour et nuit), avec ses vendeurs de *pastellitos* (boulettes de sucre fourrées à la noix de coco, vendues par les enfants);

- le **Malecon** (boulevard longeant la mer), où tout le monde se rassemble dans les casse-croûte et sur les terrasses;

- le **Victorian Pub,** av. Separacion;

- **Bogart's Disco** (586-4243);

- **Vivaldi Studio** (586-3275) : bonne ambiance, musique dominicaine et américaine.

Chaque hôtel a également sa propre animation sur place.

PLAGE

Long Beach : plage publique qui s'étend sur 5 km de la fin du Malecon jusqu'à Playa Dorada; envahie par les habitants de la région en fin de semaine, elle est peu fréquentée sur semaine. On y trouve des restaurants, des douches et des toilettes.

TRANSPORT

(Voir Renseignements pratiques.)

ADRESSES ET NUMÉROS DE TÉLÉPHONE UTILES

- Aéroport «La Union» : 586-0219
- Ambulance : 586-2210
- Autobus «Metro» : 586-3736
- Bureaux de tourisme : Parko Long Beach 586-3676 et à l'aéroport «La Union»
- Douane : 586-2336
- Police : 586-2331

- Postes et télégrammes : 586-2368
- Service des incendies : 586-2312
- Taxi (jour) : 586-3454
  (soir) : 586-3458
- Urgences médicales :

  Centro grupo medico
  rue Antera Mota
  586-2342

  Clinica Brugal
  rue del Carmen, Ariza 15
  586-2516

PLAYA DORADA

À 2 km à l'est de Puerto Plata, une longue plage entièrement occupée par un vaste complexe hôtelier qui offre quelque 3000 chambres dans des hôtels très modernes. La végétation y est luxuriante. Si vous aimez le **golf,** il y a à Playa Dorada, un excellent terrain de **golf** de 18 trous (72 par), modèle Robert Trent Jones jr., qui s'étend sur plusieurs acres de Playa Dorada et le long de la plage. Le Jack-Tar invite les vacanciers à son **casino.** La région offre aussi, répartis dans les différents hôtels, des courts de tennis, des piscines, des restaurants, toute la gamme des sports aquatiques, en plus d'une animation constante. C'est, peut-on dire, les «Champs-Élysées» de la R.D. On y est coupé de toute réalité locale. Tous les hôtels de cette zone sont offerts en forfait, au départ de Montréal, Québec, Ottawa et Toronto.

Les restaurants ne comptent pas parmi les plus typiques du pays et les prix y sont très élevés. La nourriture est cependant abondante et excellente. À ne pas manquer : les fruits de mer, les huîtres et les fabuleuses *mules de crabe* de style local que servent presque tous les hôtels et restaurants. La formule «Club» (tout compris) y abonde ainsi que les forfaits avec formule de repas. Cela compense pour les prix exorbitants des restaurants dans les hôtels.

Le soir, chacun des hôtels offre son cinq à sept, son «party-piscine», ses disco-plage, ses petits spectacles, son animation sur place.

Discothèques de Playa Dorada :

Andromeda : 586-5250
Charlie Disco : 586-3800

Disco Village : 586-4012
Lotus Club : 586-1200.

Il y a des bars sur la plage et, si vous aimez les sports nautiques, plusieurs hôtels ont des kiosques où vous pouvez louer tous les équipements. Si vous ne logez dans aucun des hôtels de Playa Dorada, il y a un restaurant public, Donald's Restaurant; on y trouve des douches et des toilettes, un petit dépanneur et un stationnement.

COSTAMBAR

Trois km à l'ouest de Puerto Plata, des maisons, des condos, des appartements à une ou deux chambres, une plage privée, des piscines, des restaurants, des dépanneurs : une ambiance de banlieue où le béton est roi. Voilà **Costambar**, endroit de villégiature, où plusieurs étrangers ont établi leur demeure... Le lieu de rencontre est le Roberto Beach Bar, à l'extrême-ouest de la plage. L'absence de transport en commun y rend la location d'une voiture indispensable.

Une discothèque : **LIPS** disco, 586-5260.

COFRESI

Un peu à l'ouest de Costambar, **Cofresi**, très belle plage tranquille. On peut y obtenir un forfait tout inclus. Il est préférable également de louer une voiture.

LUPERON

Village au site naturel parfait : un parc central, une plage et la tranquillité. Des masses de palétuviers s'avancent profondément dans la mer formant une lagune à l'abri des intempéries. Cette lagune est devenue une gigantesque marina flanquée de condos et d'appartements de luxe.

Entre l'autoroute et Luperon, un sentier mène à la **plage de Hamon**. Durant la saison sèche, une piste pour moto traverse une rivière à gué pour se rendre jusqu'à La Isabella.

SOSUA

Joli village, à 15 km au nord-ouest de Puerto Plata, où vivent des Dominicains et une importante colonie d'émigrants européens, réfugiés de la Deuxième

Guerre mondiale. En effet, en mai 1940, fuyant le régime hitlérien, 500 réfugiés juifs ont été accueillis par la population dominicaine de **Sosua**. Il s'agissait, en majeure partie, d'Allemands et d'Autrichiens, adeptes du judaïsme. Sosua devint, pour eux, la terre promise.

Sous les auspices de la United Jewish Appeal, s'est formée la Dominican Settlement Association (DORSA), qui a créé une communauté agricole expérimentale. À la fin du siècle dernier, des émigrants travailleurs maritimes ont élu domicile à Puerto Plata; à Sosua, ce sont des professionnels, des artistes et des directeurs d'entreprises qui ont émigré; à cause de leur niveau intellectuel, ils ont profondément influencé le style de vie et le développement socio-économique de la population.

Ils entreprirent la fabrication des premiers fromages et du beurre dans la cuisine familiale de Walter Biller. Aujourd'hui, cette coopérative est une importante entreprise de transformation; outre tous les produits laitiers, elle fabrique aussi de la saucisse.

Cette petite poignée de réfugiés s'est transformée en une importante communauté qui ouvre à son tour les bras au tourisme international. Sosua est aujourd'hui une station balnéaire vivante, agréable, intéressante : un véritable paradis pour les vacanciers.

La petite ville de **Sosua**, petit «Key West» des Caraïbes, se divise en deux quartiers : **Charamicos** et **Batey**. Ces quartiers sont reliés par une plage de sable doré, bordée de vieux arbres magnifiques : palmiers, amandiers et cocotiers. Plage grouillante avec ses kiosques sans fin de vendeurs envahissants : poissons frits, bières, eaux gazeuses, huîtres et souvenirs... On y vend de tout, de la friture aux vêtements et jusqu'aux meubles. Prenez le temps d'observer l'habileté des Dominicains à trancher d'un coup sec le coco pour ensuite le remplir de rhum dominicain et dégustez ce *coco-loco.*

Dans cette baie, la mer est presque toujours calme : la vague est bonne, l'eau claire et profonde. On peut y explorer les coraux, y pratiquer le ski nautique, «le ski jet» et la planche à voile.

La plage de Sosua s'étend sur 1 km. À l'ouest de la plage se trouve **Charamicos**, quartier typiquement dominicain, plein de vie, aux rues très étroites et aux maisons de couleurs vives qui s'avancent jusqu'aux trottoirs. Les poules, les chiens, les motos et les enfants y sont de la partie et tous se balancent au rythme d'une cacophonie de postes émetteurs qui jouent du *merengue*. Des rires fusent de partout malgré la pauvreté.

Une promenade d'environ 30 minutes dans ce quartier vous mène de restaurants en galeries, de boutiques en petits marchés, et vous donne une bonne idée du rythme de la vie dominicaine.

La descente dans **Tablon** ou **Rio Mar** est particulièrement déroutante et contraste désagréablement avec le calme résidentiel et la richesse de Batey sur le versant est. **Batey**, l'autre quartier de Sosua, était au début du siècle une plantation de bananiers appartenant à la United Fruit Company de Boston, qui a fermé ses portes dans les années 20.

Ce quartier, maintenant moderne, a été fondé par les Juifs venus d'Allemagne durant la dernière guerre. El Batey n'est plus le petit village tranquille d'autrefois où la seule industrie était celle des plantations de bananes et ensuite des produits laitiers et de la viande. De cette période, il ne reste qu'une synagogue et le restaurant Oasis, jadis un club social important. C'est aujourd'hui un petit «Westmount», à maisons cossues, avec un mirador dominant la baie et des jardins somptueux. C'est aussi une ville où tout est prévu pour le tourisme : petits hôtels, «guests houses», bars, restaurants, boutiques (pas nécessairement dominicaines), où se côtoient touristes américains, allemands, canadiens, italiens, et où résident beaucoup de Québécois (**les Sosubec**).

Pedro Clisante est la rue principale du quartier Batey, rue bourdonnante d'activités où l'on trouve de nombreux restaurants, pubs, boutiques de souvenirs et un va-et-vient constant de touristes et de vendeurs, de Mercedes Benz... et d'ânes.

Les amateurs de plages tranquilles, moins fréquentées, qui en auraient assez du grouillement des vendeurs de la plage de Sosua, des «seadoos» et des sportifs bruyants, peuvent se rendre à 5 km vers l'est à **Playa el Canal**. Le coin, «venteux», est idéal pour le surf. On y accède par un petit sentier derrière la laiterie dans Batey. On dit que les tortues géantes viennent y déposer leurs œufs.

Les hôtels y sont nombreux et, contrairement à la zone hôtelière de Playa Dorada, le touriste pourra trouver à se loger chez des résidents étrangers, pas nécessairement à un coût moindre par rapport à la qualité des forfaits offerts, mais où il aura l'avantage de préparer ses repas. Il est facile de s'approvisionner sept jours par semaine.

Sosua offre toute une gamme de restaurants, *comedors* et casse-croûte; les prix varient selon les saisons, l'inflation, la qualité et la nature des produits offerts.

EXCURSIONS ET ATTRACTIONS

Découverte des environs. De Sosua, on a accès aussi aux excursions et attractions offertes en R.D.

VIE NOCTURNE de SOSUA

Une attraction en soi : le cinéma San Antonio de Padua dans Charamicos. Un vrai cirque; l'atmosphère de la salle à elle seule vaut le déplacement, paraît-il!

Pour danser :

- située dans **Batey** même, **La Rocca**, la seule discothèque; elle est donc très fréquentée par les touristes. On y joue un peu de tout : *merengue*, rock, reggae, boléro, jusqu'à 2 h du matin.

- **la Mella** : la plus dominicaine des discothèques.

- **El Escambron :** propriétaire montréalais.

- **La Folie** : bar familial tenu par un Québécois, mais atmosphère dominicaine **(dans Tablon).**

- Club Marco Polo.

- **Casablanca** : bar-discothèque.

URGENCES

- Ambulance : 571-2332

- Police : 571-2332

- Pompiers : 571-2301

CABARETE
(la bénédiction des alizés)

Cabarete était, jusqu'en 1984, une oasis de tranquillité où ceux qui voulaient échapper à la vie mouvementée de Sosua se rendaient pour passer des heures relaxantes sur une plage qui, à l'époque, était déserte. À 15 km de Sosua, une promenade de 20 minutes en voiture, toujours en longeant la côte vers l'est, ou à pied, de plage en plage, vous permet d'arriver au paradis des véliplanchistes. En 1984, quelques Canadiens entreprenants et fanatiques de la planche à voile ont décidé, après avoir exploré les Caraïbes et les côtes de l'Atlantique, que Cabarete était l'endroit idéal pour s'adonner à ce sport aquatique, et ce, grâce aux vents alizés. La baie est protégée par une barrière de corail à 1 km au large; de ce fait, elle constitue un endroit sécuritaire pour les débutants. Quant aux experts qui recherchent un défi, ils peuvent s'aventurer vers les vagues que forment les bancs de coraux. Le vent y souffle en permanence, ramenant toujours le planchiste vers le rivage. On dit que c'est l'un des meilleurs endroits au monde pour pratiquer la planche à voile. Sa plage de gros sable brun contraste avec les plages au sable doré de la Côte Nord.

Cabarete est un petit village plein de vie autant pour les adeptes de la planche à voile que pour ceux qui aiment se faire bronzer tout en regardant défiler les voiles multicolores. Cabarete n'a qu'une seule rue importante : d'un côté, une rangée de petits hôtels, de restaurants et de boutiques en bordure de mer, de l'autre, une rangée de maisons en bordure de marécages. Plusieurs écoles font la location de planches; elles offrent aussi des leçons et d'autres services en français, en allemand ou en anglais.

Cabarete est devenue une banlieue de Sosua. La plupart des maisons sont occupées par des étrangers – beaucoup de Québécois – qui louent des chambres. Il est aussi possible d'y louer une maison à la semaine, au mois ou à la saison. Quelques grossistes en voyages offrent maintenant des forfaits pour Cabarete. La plupart des vacanciers se rendent à Sosua le soir venu pour la vie nocturne et la restauration, quoique Cabarete ait ses propres bars et restaurants. Pour ceux qui désirent se rendre à Sosua le soir, il est recommandé de louer une voiture. Attention à l'effet du rhum... et aux animaux : vaches, chevaux, chiens, en liberté la nuit.

SABANETA

À 56 km de Puerto Plata, un petit village sans grand intérêt touristique. Des rivières viennent s'y jeter dans la mer et brouille l'eau qui devient brune. À l'embouchure de la rivière, on pratique la pêche aux requins.

GASPAR HERNANDEZ

Point de départ des *gua-guas* vers San Francisco de Macoris, Nagua et Puerto Plata.

Deux km plus loin, à **Playa Ermita**, l'eau est sale; possibilité d'acheter dans la rue du poisson qu'on vous cuisine sur place.

BAHIA ESCONDIDA

Pour des vacances tranquilles près des centres, à 5 km avant Rio San Juan, sur la longue **Playa Magante**, le sable est grisâtre, l'eau est très belle. Assez dispendieux : possibilité de louer des bungalows.

RIO SAN JUAN

Rio San Juan, dans la province Maria Trinidad Sanchez, ville sympathique, peu bruyante, petite plage très propre, une rivière à l'eau verte et claire. À ne pas manquer : faire une excursion ou une promenade sur la **Laguna Gri-Gri**, au milieu des palétuviers, des grottes et des manguiers. Ses eaux sont peu profondes et on y trouve en abondance des huîtres et des crabes. On peut se rendre ainsi jusqu'à **Playa Caleton** (également accessible par la route). On passe à travers un canal d'eau minérale cristalline jusqu'au-delà de la mer. Playa Caleton vaut le détour; c'est une petite baie presque fermée et sécuritaire pour ceux qui craignent la mer.

PLAYA GRANDE

À 5 km à l'est de Rio San Juan, une des plus belles plages de l'île. La vague est forte. Une halte idéale; l'endroit est souvent désert sur semaine. On peut y camper mais sans service d'eau douce. Excursions disponibles incluant le repas : grillades de poulet et poisson, bananes plantain, riz et fèves.

De Playa Grande, on peut continuer vers la plage de **Puerto Escondido**, un coin caché où il est préférable de ne pas aller seul. Plus loin sur la route côtière qui borde la **baie Escocesa,** on arrive à **Punta Preciosa**, près de Cabo Francès Viejo.

CABO FRANCES VIEJO

À 85 km de Puerto Plata, un bel endroit retiré. Quelques maisons, un phare, au pied du cap une anse, de grandes plantations de cocotiers. Petite plage avec vague douce et décor enchanteur. C'est le point le plus élevé d'où il est possible de contempler les profondeurs de l'océan Atlantique.

CABRERA

À 105 km de Puerto Plata, la municipalité de Cabrera, en bordure de falaise, rappelle un peu la côte californienne; on y pêche le requin en grande quantité.

Tout près, **Playa el Diamante**, une anse presque fermée. Les vagues s'y brisent à l'entrée, rendant la plage peu intéressante.

PLAYA BOBA

À 125 km de Puerto Plata, c'est un joli petit village, mais la mer est cachée derrière une lagune, difficilement accessible, et il est dangereux de chercher à l'atteindre.

NAGUA

Dernière ville de la Côte Nord, à 140 km de Puerto Plata. Ville hétéroclite, aux nombreux bars et discothèques, sans attraits particuliers. Nagua est le point de relais des *gua-guas* pour la péninsule de Samana. Il faut compter au moins 3 heures par autobus direct et au moins 5 heures en *publicos* pour s'y rendre de Puerto Plata.

La route qui longe la Côte Nord entre Puerto Plata et Nagua permet d'admirer quelques-uns des plus beaux paysages du pays. Le paysage en douceur, fait de palmiers, de feuillus et de mer, a l'air d'une vraie carte postale. La construction d'édifices de plus de 3 étages n'étant pas autorisée en bordure de la mer, on aperçoit presque toujours celle-ci.

LE NORD-EST
(El Nordeste)

SAMANA

Samana est le mot indigène qui désigne la péninsule du nord-est de l'île ainsi que la baie de Samana. Cette presqu'île d'environ 7000 habitants, bordée au nord par l'Atlantique et au sud par la baie de Samana, offre aux vacanciers près du tiers des plages de tout le pays. Ses nombreux îlots de sable, ses grottes, son exubérant décor de palmiers et de cocotiers, en font un lieu de prédilection pour les touristes qui y viennent de partout. Les paysages de bras de mer particulièrement accidentés sont d'une rare beauté.

Facilement accessible par le nord, à environ 3 heures de route de Puerto Plata (240 km à l'est) ou à 4 heures de Santo Domingo, via San Francisco de Macoris et Nagua, ou encore via San Pedro de Macoris et Sabana del Mar d'où un bateau traverse la baie en une heure. Attention : le traversier ne prend que les passagers; les automobilistes devront obligatoirement faire le tour de la baie.

Christophe Colomb arriva sur ces plages le 12 janvier 1493. Bahia de Samana fut la scène de la première grande bataille au Nouveau Monde entre les *Ciguayos* (indigènes) et les Espagnols. L'amiral écrivit dans son journal que «jamais il n'avait vu tant de flèches voler au-dessus d'une embarcation». Avant de repartir pour Castille, il baptisa la baie : Golfo de Las Flechas ou El Bogo de Las Flechas. C'est un endroit privilégié pour la chasse et la pêche.

Santa Barbara de Samana fut fondée en 1756 par le brigadier espagnol, gouverneur de l'île, Francisco Rubio Penaranda. Les 24 octobre et 4 décembre sont les journées de la fête patronale de cette région. On les célèbre au son de la *bambula*, danse rituelle qu'on ne retrouve que dans la péninsule de Samana, ainsi que de la danse du *chivo florete,* danse aux mouvements érotiques que certains considèrent comme «obscène». Lors des parades et des carnavals, on y retrouve une autre danse typique, le *oli-*

oli, à laquelle seulement les hommes peuvent participer.

SANCHEZ

Première ville de la péninsule de Samana, à l'extrémité nord-ouest de la baie, Sanchez est un important port de pêche à la crevette. Pendant plusieurs années, Sanchez fut un port actif. Elle est maintenant une petite ville sympathique qu'on dirait tirée d'un film western avec ses maisons de bois colorées de style romantique victorien et son chemin de fer fantôme, construit par un Écossais du nom de Baird, qui reliait les villes de la Vega et San Francisco de Macoris; on y retrouve aussi les reliques de la première Banque Royale du Canada.

Après avoir traversé le port de Sanchez, à 30 km, on arrive à la ville de Samana. Reconstruite dans les années 70, la ville de **Samana** offre aux touristes toutes les facilités d'une ville moderne, y compris un aéroport et des discothèques. Elle ne conserve de son passé qu'une vieille construction, *La Churcha,* transportée d'Angleterre, afin d'unir les fidèles de l'Église méthodiste Wesleyana, aujourd'hui convertie en Église évangélique dominicaine. Ce vieux village de pêcheurs est devenu une ville touristique moderne aux grandes avenues; il ne faut pas manquer de déguster les spécialités de la région : *pain de gingembre, johnnycakes* (des galettes préparées à l'eau de coco), du *poisson à la noix de coco* et du *crabe à la créole.*

Les dimanches et les jours de fêtes populaires, on rencontre à Samana un ensemble musical typique qui ne joue que du *merengue*, le *perico ripiao* composé de 3 musiciens.

L'industrie de la pêche y est très prospère mais le manque de profondeur des eaux de la baie, à peine 45 mètres, constitue un danger pour les bateaux à grand tirant d'eau.

La **baie de Samana** est riche en mangliers.

Les eaux tranquilles de la baie de Samana sont agrémentées d'îlots ou de récifs facilement accessibles en canot. **À ne pas manquer :** une visite au Parc National de *Los Haïtises* (mot indien décrivant un site formé de monticules), un endroit unique au monde, une extraordinaire formation géologique avec une exubérante végétation résultant des pluies abondantes.

De Sanchez deux routes possibles s'offrent au voyageur : direction de **Las Terrenas et El Portillo** ou de la ville de **Samana**. Si on choisit direction Las Terrenas et el Portillo, il est recommandé de s'approvisionner en essence avant de partir. Il faut compter une bonne heure pour franchir les 18 km qui séparent Sanchez de Las Terrenas. Dix-huit km d'une impressionnante traversée avec des vertiges inévitables et des paysages à vous couper le souffle.

Les plages y sont belles avec des vents et des vagues instables. Des excursions sont offertes au banc de corail. Un ranch, près de Las Terrenas Club, organise des randonnées à cheval. On peut camper à Las Terrenas.

Si vous empruntez cette route, il est possible de loger dans un petit complexe touristique tenu par un Français et connu sous le nom de Club Las Terrenas. La revue ***Gourmet*** a catalogué *la Caverna* *del pirata* et *la Boca fina* parmi les meilleures tables pour les fruits de mer dans le pays (réservation nécessaire).

PLAYA EL COZON

En sortant de Las Terrenas, vers l'ouest, vous arrivez à **Playa el Cozon,** en face de Cayo Bellena. Plage de sable blanc d'où l'on peut voir, de novembre à mars, le spectacle qu'offrent les baleines à bosse (baleines chantantes) qui quittent les régions arctiques, délaissant le froid, pour accoucher à **Banco de la Plata.** Cet endroit peut paraître désertique aux yeux du touriste, c'est en fait le refuge d'été des résidents de San Francisco de Macoris.

LAS GALERAS

À cet endroit, à 25 km de Samana, il est possible de faire du camping sauvage. C'est la fin de la grand-route. Plusieurs développements touristiques y sont en construction. La plage y est ornée «de casernes militaires». Les jeunes Dominicains y vendent, au vu et au su des soldats, des pièces archéologiques en morceaux recueillies dans les quelque

500 cavernes et grottes sous-marines qui s'y trouvent.

AUX ENVIRONS

Playa el Valle, trois bonnes heures de marche qui nous ramènent de l'autre côté de la péninsule, entre **el Limon** et **Cabo Cabron.**

Playa Anadel, plage en retrait de la route, derrière un boisé, tranquille... sans service.

Cayo Carenero, petite île accessible à marée basse. L'isolement total.

Los Cacaos, village de pêcheurs bicentenaire. La plage est encombrée d'un vieux quai de métal qui servait jadis au transport du marbre. Intéressant mais non esthétique.

Playa Francis, eau bleue, cristalline. Les vagues viennent se fracasser contre les rochers; la mer siffle, un peu comme la plainte d'une baleine. Repos, détente, méditation.

Playa Rincon, pour les vacanciers plus «aventureux». Il faut quitter la route et emprunter un chemin de campagne sur

10 km. Belle plage, sans village ni service.

CAYO LEVANTADO,

De Samana, une traversée d'environ 30 minutes permet d'atteindre **Cayo Levantado,** petite île paradisiaque qui mesure 1 km sur 1/2 km. Planche à voile, plongée, voile, équitation, plage, rêve, méditation, y sont les seules activités possibles dans un décor indescriptible.

CANAL DE LA MONA

Ce canal sépare la R.D. de Puerto Rico. La visite du canal de la Mona, demeuré à l'état sauvage, est une excursion unique : un sable doux, une mer émeraude, des cocotiers partout, un véritable paradis! Par contre, c'est un des endroits les plus tumultueux pour les navigateurs à cause des courants et des vents qui s'y croisent. On y trouve beaucoup de baleines. Une excursion est offerte de Samana.

Adresse utile pour la région de Samana

Bureau de tourisme
av. Malecon
538-2350

L'EST

(El Este : extrême-orientale de l'île)

La région de l'Est, située dans la plaine **Hicayagua,** se divise en cinq provinces : **San Pedro de Macoris**, **Hato Mayor**, **El Seibo**, **La Romana** et **La Altagracia**, vaste triangle de terres généralement plates. La culture et la transformation de la canne à sucre, l'élevage et le tourisme en sont les principales ressources. Les côtes de l'Est, où subsistent de nombreux petits villages de pêcheurs, sont très riches en faune marine.

LA CALETA

En partant de Santo Domingo, prenez l'unique route vers l'est, à l'entrée de l'aéroport international Las Americas, le plus important de la R.D. En tournant à droite, vous apercevrez le parc et le musée de la Caleta, où l'on peut voir un cimetière indigène et des spécimens préhistoriques. L'entrée est gratuite et cette visite est intéressante.

Les premiers habitants de l'île vivaient surtout dans cette région de sorte que l'on y retrouve d'importants vestiges archéologiques. Les *Taïnos* ont laissé, entre autres, dans les grottes qu'ils ont peut-être habitées ou dans lesquelles ils faisaient leurs cérémonies religieuses, des peintures non encore déchiffrées.

La petite baie **La Caleta** est un port de pêche en miniature. C'est l'endroit rêvé pour contempler les plus beaux couchers de soleil de la région. Plusieurs artistes peintres y installent leurs chevalets au crépuscule.

BOCA CHICA

À 30 km à l'est de Santo Domingo, **Boca Chica** est la plage la plus près de la capitale et une des plus belles du littoral : eaux peu profondes, sable blanc et fin. Plage idéale pour ceux qui préfèrent l'eau calme à la vague. La mer est contenue par un récif rocailleux empêchant la vague de s'échouer sur le rivage. On peut y pratiquer les sports «calmes» tels que pédalo, catamaran, plongée en apnée.

La plage reste belle malgré l'envahissement des restaurants-terrasses plus ou moins entretenus et des vendeurs insistants de tout acabit. Sur semaine, les Dominicains ne vont pas à la plage, mais les vacanciers arrivant à Boca Chica le dimanche seront pour le moins étonnés, et peut-être déçus, de se retrouver comme des «intrus» parmi tout ce monde bruyant qui prend toute la place, toute la plage, dans un tapage de cris, de rires, de musique de *merengue* venant d'autant de postes émetteurs qu'il y a de groupes et ce à des postes différents.

Boca Chica est un petit village typiquement dominicain, sans prétention, très animé. Jadis, village malfamé, peu fréquenté par le touriste, Boca Chica possède maintenant une bonne infrastructure touristique mais n'est pas encore «américanisée» : c'est la vraie R.D. L'accent est mis sur la restauration : restaurants simples, cuisines de bon goût, spécialités allemandes, italiennes, françaises et locales. Dans les magasins populaires et les nombreux kiosques sur la rue, vous pourrez déguster du *rillon*, des poissons frits, des *johnnycakes.*

Le touriste aventureux va y trouver facilement gîte et nourriture à des prix raisonnables, mais pas sur la plage cependant.

Il est facile de se rendre dans la capitale pour quelques pesos, soit en autobus, soit en taxi.

PLAYAS GUAYACANES ET EMBASSY JUAN DOLIO

Deux grands développements touristiques situés entre Boca Chica et San Pedro de Macoris, à environ 45 minutes de la capitale. Les plages sont belles : **Embassy Beach,** une petite baie de récifs aux vagues violentes où les branches des cocotiers servent de planches de surf. **Guayacanes** et **Juan Dolio** feront les délices de ceux et celles qui recherchent des vagues calmes et un sable doux et fin. On trouve maintenant un **casino** à Juan Dolio à l'hôtel Decameron.

SAN PEDRO DE MACORIS

À 75 km de Santo Domingo, fondée au début du siècle dernier par des immigrants allemands, arabes, espagnols, français, italiens, San Pedro de Macoris est devenue province le 23 juin 1882. C'est dans cette ville que les premières constructions en béton ont été érigées en R.D. à cause de l'influence d'architectes catalans. On y a installé le premier poste téléphonique, ainsi que le premier téléphone automatique à l'intérieur du pays; la première communication téléphonique de San Pedro de Macoris à Santo Domingo a eu lieu le 20 juin 1884.

Des producteurs de sucre, qui avaient comme unique équipement des instruments primitifs, avec lesquels ils ont produit les sons du *cainanés,* ont créé la danse *momise*; ils sont connus du peuple comme *Guyolas*, son inspiration vient du drame anglais «Mummers» quelque peu modifié. Elle a donné lieu à trois musiques très différentes : la *danse du sauvage* (danse de rue), la *danse du père hiver*, dansée lors de la lutte du Géant avec Saint Georges, et la *danse el Codril*, où les danseurs sont répartis en deux files et se tiennent le bras.

Comme leurs ancêtres de la jungle africaine qui vénéraient leurs dieux à la tombée de la nuit lors de cérémonies rituelles, les *Guyolas* lors des fêtes et des carnavals défilent avec leurs costumes et ornements, couverts de petits miroirs et de toutes sortes de verroterie. Aux battements de leurs rustiques tambours, la foule se lance dans la rue et les entoure. Certains apportent de la monnaie et d'autres une bouteille d'alcool que l'on passe de main en main pour soutenir l'enthousiasme. C'est ainsi que les *Guyolas* et les *Macorisiens* célèbrent leurs fêtes. Si vous voulez être de la partie, faites coïncider votre visite avec le 29 juin, jour de San Pedro et San Pablo (saint Pierre et saint Paul).

C'est à San Pedro de Macoris qu'est située La Universidad Central del Este. À cause de l'affluence d'étudiants dans ce centre d'enseignement, fondé par le Dr José Hayim, San Pedro a dû offrir des services nombreux de logements, supermarchés, hôtels, pensions, cafétérias et restaurants, mais ce n'est pas à proprement parler une ville touristique.

Face à la rivière Macoris ou **Higuamo**, vous verrez l'église de San Pedro Apostol de style néo-classique, dont la tour, devenue le symbole de la ville qu'on retrouve sur les cartes postales, sert de point d'orientation au visiteur. Face à l'église, le terminus d'autobus d'où part une ligne pour se rendre à Santo Domingo, la Romana et les autres villages, villes et provinces de l'Est.

Adresses utiles

Hospital Oliver Pino : 529-3353

Hospital Oncologico de la UCE :
529-6111

LA ROMANA

Située à 35 km à l'est de San Pedro de Macoris et à 131 km de Santo Domingo, **la Romana** est devenue province le 1er janvier 1945. Ville industrielle, elle est le siège d'une entreprise de canne à sucre privée, le plus important des moulins typiquement dominicains.

CASA DE CAMPO DE LA ROMANA

En pleine campagne, se trouve **Casa de Campo,** complexe touristique des plus modernes et le plus complet des Caraïbes; c'est, selon la revue *Harper Bazaar*, l'un des dix meilleurs au monde. Ce complexe, au tarif élevé, est un paradis pour les sportifs : il comporte trois terrains de golf de 18 trous, dessinés par Pete Dye. **The Links** (Le terrain de Golf) et **The Teeth of the Dog** (Les dents du chien) occupent la 31e position sur les 100 premiers terrains au monde. Le club privé de la Romana (réservé aux seuls membres) offre treize terrains de tennis en argile, quatre champs de polo, un centre de tir, des terrains de squash, vingt piscines, plus de 500 poneys et chevaux, un petit port où l'on peut faire de la voile, de la pêche en mer ou en eau douce, de la plongée sous-marine.

Situé sur une propriété privée de 7 000 acres, le Casa de Campo offre un grand choix d'appartements et de villas privées, quelques-unes avec piscines et personnel. Il comporte aussi plusieurs restaurants, bars, cafés et discothèques.

ALTOS DE CHAVON

Tout près de Casa de Campo se trouve **Altos de Chavon**, la ville des artistes, où il y a une école d'art affiliée à la Parson School of New York. Altos de Chavon est la reconstitution d'une forteresse de la période coloniale espagnole. Au centre de la ville, on peut visiter l'église de San Stanislao et le Museo Regional de Archelogia, collection d'art préhispanique; de petits magasins, où l'on vend bijoux, objets en céramique et artisanat local. L'amphithéâtre de la ville a été inauguré par Frank Sinatra et Julio Iglesias.

BAYAHIBE

À 20 km de la Romana, des plages, des plages, rien que des plages. Quelques villages dont celui de **Bayahibe**, belle baie tranquille. On peut loger chez l'habitant ou camper sur la plage avec une autorisation de Casa de Campo. Cette plage est très achalandée les fins de semaine. Bayahibe marque la fin de la route juste à l'entrée du Parque Nacional del Este à quelques kilomètres du Club Dominicus, luxueux complexe hôtelier au cachet exotique avec ses huttes et sa pierre des champs, situé sur une des plus belles plages de la région. C'est la partie la plus orientale de l'île avec les derniers petits villages de **Guaraguao** et **el Penon.**

LA ALTAGRACIA

À 166 km de Santo Domingo, au cœur de la région de l'Est se trouve **Higüey**, «terre sainte d'Amérique» fondée en 1494 par le conquistador de la Jamaïque, Juan de Esquivel. Lieu de pèlerinage des «Altagraciens», qui se rendent chaque année, le 21 janvier, au Santuario de Nuestra Senora de la Altagracia à la recherche soit de la santé, soit du bien-être spirituel. La basilique de Notre-Dame de la Altagracia, est un joyau de l'architecture moderne.

À **Higüey** également, chaque année, le 16 août, on procède à la vente aux enchères des «taureaux de la Vierge».

À 24 km de Higüey, **San Rafaël de Yuma**. Là, vous pouvez voir, sinon visiter, le château, construit en 1505, comme résidence personnelle de **Juan Ponce de Leòn**, explorateur à la recherche de la fontaine de jouvence de Bimini, découvreur de la Floride, gouverneur de Porto Rico. On y trouve également un *batey* (village exclusivement réservé aux coupeurs de canne à sucre). À **Boca de Yuman**, une petite baie à l'embouchure d'une rivière, juste à l'entrée du cap, se tiennent chaque année des compétitions internationales de pêche en haute mer. Un endroit idéal pour une halte afin de se désaltérer et d'admirer les vagues qui se brisent sur les rochers. Entre la terre ferme et les côtes d'immersion et de submersion, il y a des zones peu profondes où on fait l'élevage de poissons et de fruits de mer.

CATALINA ET SAONA

Casa de campo est un paradis pour le golfeur mais la plage y est petite. Au large, cependant, il y a les plages des **îles de Catalina** et **de Saona**. Ceux qui aiment la nature peuvent se rendre au Parc National de l'Est dont ces îles font partie. Ces deux petites îles sont des sanctuaires de la flore et de la faune où sont protégées toutes les espèces de la R.D. en voie d'extinction comme le dauphin et le lamentin. Dans ce parc sont classifiées onze espèces d'oiseaux en voie d'extinction, dont la «colombe couronnée». Il est possible d'y organiser d'intéressantes excursions en téléphonant à la Direction générale des Parcs : 682-7628.

Vers la Côte Sud, l'**île Saona**, la plus grande des îles de la République, habitée par quelque 1 000 personnes qui se nourrissent essentiellement de poisson, de viande de colombe et de porc. À signaler que Saona possède le taux de mortalité le plus bas de la R.D.

PUNTA CANA

À 40 km de Higüey, à 3 heures d'auto de Santo Domingo, par la seule route disponible, se trouvent les Club Med et Punta Cana Yacht Club. La mer y est calme et les vents juste assez soutenus pour les sports aquatiques. Des activités pour tous les goûts. Les Clubs sont à 10 km de l'**aéroport Higüey** de Punta Cana.

Cabeza de Toro se trouve juste à gauche de l'entrée du Club Med. Chaque année en avril, y a lieu le tournoi international de pêche au marlin. Le «marlin noir» est un des grands prédateurs de la mer; quoique destructeur, il est très important sur le plan commercial. Il peut atteindre cinq mètres et peser plus de 500 kilos. Le marlin se déplace à une vitesse de 65 à 80 km à l'heure.

Un chemin sablonneux s'infiltre à cet endroit entre les cocotiers et la mer fracassante : un coin idéal pour oublier la civilisation. Plus loin, un cap, des casernes militaires, c'est **Cabo Engano**, point de surveillance avec son phare mais... sans surveillant.

La jungle continue à travers quelques petits villages : **Playa de Los Nidos** et **El Cortecito** qui contournent la plage privée du luxueux Bavaro Beach Club à 20 km de l'aéroport de Punta Cana.

Les gens plus «aventureux» continueront à travers les palétuviers (grands arbres des régions tropicales), les cocotiers et les dunes jusqu'à **El Macao**. On y trouve une immense plage, paysage impressionnant, malgré les installations de l'armée. Une route directe (mais cahoteuse) relie le village de el Macao à Higüey.

EXCURSIONS

(offertes dans la région Est par l'agence de voyages locale Viajes Barcelò)

- Réservations nécessaires à faire de votre hôtel.
- Paiement en $ US, pesos, cartes de crédit.
- Annulation avec remboursement au moins 12 heures à l'avance.

Nouvelles aventures à Saona

- Excursion en bateau motorisé jusqu'à l'île de Saona qui longe le Parc National de l'Est. Lunch inclus. Visite d'un petit village dominicain;

- Île de Saona (en voilier). Pour les amateurs de voile, soleil et romantisme...

Plages de la mer des Caraïbes

Excursion en bateau motorisé pour la visite des îles Catalina et Bayahibe. Excellent endroit pour plongée en apnée. Boissons non alcoolisées incluses.

Rivière Chavon

Excursion en bateau motorisé : une merveilleuse promenade à travers la forêt tropicale luxuriante qui donne l'impression d'un petit canyon.

Barrière de corail

Excursion en bateau motorisé dont le fond est de verre, ce qui permet d'admirer la merveilleuse barrière de corail colorée.

Promenade en campagne

En autobus, visite d'une variété de petits villages typiques; bonne occasion d'apprendre les us et coutumes des gens qui y habitent. Lunch inclus.

Pêche en haute mer

Une excursion de pêche peut être organisée sur demande, avec la collaboration d'un marin expérimenté comme guide.

Altos de Chavon-Casa de Campo

Visite de la Casa de Campo, une des plus prestigieuses stations de villégiature des Caraïbes, et d'une charmante reproduction d'une ville du moyen âge, Altos de Chavon.

ou

La combinaison parfaite : visite du petit village de Altos de Chavon et découverte de la rivière Chavon en voilier.

Tour de la ville de Santo Domingo

Ce tour inclut la visite du vieux quartier de la ville : la première cathédrale américaine, le Don Colón Fortress, etc. Également, une visite du quartier moderne avec le musée de l'Homme et le jardin botanique. Lunch dans un restaurant réputé. Après-midi alloué au magasinage au Mercado Medelo.

Santo Domingo, la nuit

Souper dans l'un des meilleurs restaurants de la ville. Possibilité de passer la soirée au fameux Casino-Hôtel Jaragua ou dans une discothèque populaire. Un chauffeur vous reconduira à votre hôtel.

Pêcheurs Bayahibe

Dégustation d'excellents repas de fruits de mer préparés dans un petit restaurant typique du village de pêcheurs voisin. Le transport se fait en bateau motorisé.

Randonnée équestre

Excursion à travers les champs de canne à sucre et la forêt subtropicale. La promenade se termine dans un petit village près de la rivière Chavon.

La Romana, la nuit

La vie nocturne à la Romana offre de nombreux restaurants et plusieurs discothèques.

Excursions en jeep

Promenade à travers la campagne de la R.D. en traversant plusieurs rivières. Un lunch sera servi au pied d'une magnifique chute; découverte des ruines d'une forteresse espagnole du temps des colons.

Jeep Nisibon : promenade en jeep et baignade à la plage de Nisibon. Possibilité de faire de l'équitation et du bateau; repas de langouste.

Location de bateau motorisé

Il est possible de louer un bateau motorisé et de se faire accompagner d'un marin expérimenté pour la sortie en mer.

Nuit au casino

Situé à une distance d'environ une heure, à Juan Dolio se trouve l'Hôtel Casino Decameron; excellent pour les jeux et paris.

Nuit VAUDOU

Le ranch typique El Gato, situé sur les bords de la rivière Chavon. Souper spécial suivi de la fameuse et magique danse du vaudou (spectacle). Ensuite, interprétation d'un groupe haïtien jouant de la musique typique et utilisant des instruments primitifs. Ce tour est offert aux personnes recherchant originalité et changement.

LE SUD
(El Sur)

Bien que le chemin aller-retour de Santo Domingo vers le sud se fasse en 48 heures, le Sud requiert quatre jours de déplacement pour profiter pleinement de la visite de cette région.

Elle se divise en quatre provinces : **San Cristobàl**, **Peravia**, **Azua** et **Barahona**.

La première impression que l'on ressent en se dirigeant de ce côté, par la route du Sud-Ouest, est celle d'une zone désertique. Les zones côtières depuis **Bani**, **Azua** jusqu'à **Barahona** sont caractérisées par la rareté des pluies et par une végétation sèche.

HAÏNA

À 12 km au sud-ouest, à signaler la **centrale Rio Haïna,** l'une des principales raffineries de sucre du pays. Elle est installée dans le port du même nom. Juste à côté, **Ingénio Engombe,** sur les bords de la rivière Haïna, les ruines d'un complexe datant du début du XVIe siècle comprenant un palais, une petite chapelle et un bâtiment utilisé pour y garder des matériaux et des esclaves. On peut encore y voir une partie d'un moulin d'époque.

SAN CRISTOBAL

Située à 28 km à l'ouest de Santo Domingo, San Cristobal, l'une des villes

les plus visitées de la région, doit son nom à sa proximité avec la forteresse de San Cristobal que l'amiral Don Christophe Colomb fit ériger au bord de la rivière Haïna.

En 1934, cette ville fut nommée «province» et, en 1939, on lui donna le titre de «ville digne d'honneur» d'abord parce que c'est là que fut signée la constitution juridique de la nationalité dominicaine, le 6 novembre 1844, et aussi parce que c'est la ville natale du «bienfaiteur de la patrie, le grand général, docteur **Rafael Leonidas Trujillo Molina**», ce dictateur qui gouverna le pays avec une main de fer du 16 août 1930 au 30 mars 1961. La ville a cependant perdu ce titre avec l'abolition de son régime dictatorial.

Suggestions de visites : l'église San Cristobal, le Palacio del Cerro et la casa de Caoba (2 anciennes possessions du dictateur), las Cuevos de El Pomier, el Balnéario la Toma et l'église et Cuevas de Santa Maria où on célèbre les fêtes nationales au rythme du tam-tam, influence négroïde du folklore dominicain. Le *carabiné* est la danse typique de la région du Sud, variante de la danse des îles

Canaries que l'on danse lors des fêtes patronales de San Cristobal du 6 au 10 juin en l'honneur de l'Esprit-Saint.

Pêche sous-marine dans les eaux cristallines des plages de **Najaya**, **Nigua**, **Palenque** et la **Loma de Resoli** au climat agréablement frais tout au long de l'année.

PERAVIA

Bani, à 66 km de Santo Domingo, est une ville fondée par des immigrants venus des îles Canaries. Lieu de naissance du général Maximo Gomez.

À voir : le lieu où a vécu le général **Maximo Gomez**, le musée municipal, l'église de Nuestra Señora de la Regia.

À **Puerto Hermoso**, gisements de sel, qui aux dires de certains, peuvent remplir les salières de toutes les Caraïbes.

À la frontière de la province de Peravia, la **baie de Caldera** est le siège de la base navale la plus importante de la Marine de Guerre. Elle a une position géographique stratégique et les dunes qui l'entourent lui offrent une protection naturelle.

Fête religieuse : 21 novembre, jour de Notre-Dame de la Regla.

Ne quittez pas la province sans avoir goûté au «bonbon» à base de lait de chèvre, spécialité unique au pays et fabriqué à **Paya**. Également, le *mango de Bani*, mangue rouge que l'on récolte uniquement dans la vallée de Péravia. On y trouve aussi des fabriques de sucre à la crème.

AZUA DE COMPOSTELA

À 121 km à l'ouest de Santo Domingo, **Azua**, terre calcinée par les chauds rayons du soleil, zone désertique où on trouve beaucoup de cactus. Ville fondée en 1504 sous le nom de **Azua de Compostela,** par **Diego Velasquez,** qui fut plus tard le conquérant de Cuba.

Cette ville a été incendiée en trois occasions par des corsaires français pyromanes. En 1805, par Juan Jacob Dessalines, qui le 1er janvier 1804 proclama l'indépendance d'Haïti et l'invasion du territoire dominicain. Ensuite, en 1804, par le chef haïtien, Charles Hérald, dérouté à Azua, et, enfin, en 1849, sous les ordres du président haïtien, Faustin Soulouque, lors de la bataille de El Numero.

Azua est devenue province en 1845. On appelle les habitants de cette province les «Azouaiens».

À **Pueblo Viejo,** on peut voir les ruines de la ville coloniale. **El Numéro,** lieu où s'est déroulé la bataille du même nom, est un endroit à voir : ne serait-ce qu'à cause des émotions ressenties à traverser une route aux nombreux précipices. Le panorama y est exceptionnel.

Palmar de Ocoa, dans la baie de **Ocoa**, est un lieu de villégiature où ont lieu chaque année des tournois de pêche internationaux.

Corbanito est une anse de 3 km de sable blanc et d'eau bleu turquoise. Baignade en eau peu profonde protégée par des récifs.

Playa Chiquita (petite plage), anse ouverte d'à peine 1 km et demi, au sable gris et aux eaux cristallines de profondeur moyenne, sans aucune vague.

Playa Monte Rio est une autre plage de la province de Azua.

Fête patronale : le 18 septembre en l'honneur de Notre-Dame de los Remedios.

BARAHONA

Grand contraste au sortir d'Azua, qui est une zone aride, en pénétrant dans les terres humides de Barahona. À 240 km à l'ouest de Santo Domingo, où régnait le cacique Anacoana et où survit la légende vivante de l'insoumis Enriquillo, symbole de la rébellion des Indiens contre l'injustice des Blancs. Barahona fut fondée en 1802 par le général français Toussaint Louverture et devint province en 1907.

La péninsule de **Barahona** est entourée de plages ensoleillées, paisibles, peu fréquentées jusqu'à maintenant par les touristes. Ce littoral paradisiaque a été la scène choisie par le dessinateur de mode dominicain, Oscar de la Renta, pour ses photos de fond tropical dans la revue *Vogue* et également l'endroit d'où Veruschka a produit sa fabuleuse collection d'été.

Ces plages et l'**île Beata** (la plus au sud) ont servi également de scène aux aventures de l'audacieux pirate du siècle dernier, Cofresi, figure légendaire pour les habitants du littoral sud de la R.D. On dit qu'à **Punta Iglesia,** au sud du port, il y a des coffres du trésor de Cofresi qui sont enfouis. On dit également qu'à la **Cienaga** est apparue de la monnaie de diverses nationalités ainsi qu'une épingle à l'effigie de Napoléon 1er. Sur les plages adjacentes au village, Juan Esteban, un coffre plein de pierres précieuses, de joyaux et d'autres objets de grande valeur a été retrouvé. La légende raconte qu'on ne peut s'approprier les trésors de Cofresi parce que ce dernier avait l'habitude d'enterrer, avec chaque trésor, toute personne qui l'avait aidé dans cette tâche. La croyance veut que pour déterrer ces trésors, il faudrait laisser une personne à l'endroit même où apparaît un coffre...

Une autre attraction touristique de Barahona est la fosse du **lac Enriquillo,** le plus grand lac des Antilles, qui, avec ses eaux à 44 mètres au-dessous du niveau de la mer, devient l'antithèse du lac Titicaca. C'est de là qu'émerge l'**île Cabritos** – parc national – qui abrite la plus grande réserve mondiale de crocodiles américains, *crocodilus americanus acatus*, vivant à l'état sauvage. Autour de ce lac, il y a des groupes importants de flamands et deux espèces d'iguanes. Se trouve là également la zone archéologique de **Las Caritas,** réserve d'art préhispanique d'intérêt historique national.

Sur les pentes de la rive nord du lac Enriquillo, il y a une formation de pierre calcaire avec des sculptures en forme de soleil rond marqué de traits humains. L'imagination populaire les appelle *caritas* (petits visages).

La première compagnie de transport des Antilles a commencé à Barahona le 2 juillet 1927 entre Sainte-Croix, Saint-Thomas, San Juan, Santo Domingo, Port-au-Prince et Santiago de Cuba.

La fête patronale est célébrée la première semaine d'octobre : Notre-Dame du Rosaire. Pendant cette semaine, on danse le *carabiné*, danse typique du sud qui se danse au rythme de l'accordéon, du tambourin et de la *guira* (instrument typique fabriqué à partir d'un fruit séché qui émet un bruit rythmique quand on le frotte).

Barahona s'enorgueillit des artistes **Maria Montéz,** actrice du film *Les mille et une nuits*, et de la folkloriste **Casandra**

Domiron, toutes deux natives de cette ville.

À noter que Baharona est la capitale du larimar.

BAHORUCO

En allant vers le sud, après Barahona, le panorama devient montagneux. La route qui borde la côte monte et descend en flancs escarpés, c'est le massif de Bahoruco qui se rend jusqu'à la mer. Quoique belles, les plages de cette région offrent peu d'attrait pour le touriste. Dans ces montagnes, on cultive les meilleures variétés de café.

À noter la découverte des eaux sulfureuses de **Postrer Rio** dans la région de Bahoruco.

En faisant un détour vers le nord, après avoir quitté la route principale, on traverse la très fertile vallée de San Juan de la Manguana. C'est la partie la plus septentrionale du sud, touchant les contreforts du Massif central. Zone riche en élevage de bétail et en production de fromage. Autre particularité : les coraux des Indiens.

Dans la partie nord de la Sierra del Bahoruco, on trouve des gisements de sel, de gemme et de plâtre, tandis que dans la partie sud, il y a de profondes couches de terre rouge, riche en aluminium d'où on extrait la bauxite. Le sol est riche aussi en onyx et en travertin (roche poreuse et calcaire).

Les maisons de cette région plus aride sont peintes avec des couleurs gaies et tranchantes.

Cette vaste région, partant de la pointe de l'île jusqu'à la route reliant Azua et Comendador en traversant la Sierra de Bahoruco, demeure sans doute le seul endroit de l'île où quelques priviligiés peuvent encore, sous contrôle gouvernemental, chasser le sanglier.

LE CIBAO
(El Cibao)

Au cœur même du pays entre les Cordillères centrales et septentrionales se trouve la **plaine du Cibao.** Son nom vient, du *taïno* qui, en langue indienne, signifie «terre à l'intérieur, beaucoup de sommets et de montagnes».

Plusieurs des routes qui sillonnent et traversent les villes du Cibao se prêtent à des excursions intéressantes, pour qui cherche autre chose que la plage.

À cause des conditions climatiques exceptionnelles et de la grande fertilité de la terre, le Cibao est devenu une zone très peuplée. C'est une grande vallée avec une riche production agricole et une végétation exubérante. Outre le riz, le cacao et la canne à sucre, on y produit du tabac au pied des montagnes, du café en altitude, des fruits et des légumes partout. On y fait l'élevage de la chèvre dans la partie la plus désertique, du bœuf et du porc dans les vallées. Le flanc de la montagne est devenu un grand marché géré par des coopératives paysannes.

La Vega Real (vallée royale), nommée ainsi par Christophe Colomb, est, pour les Dominicains, la *terre de la Sainte Vierge.* À 5 km de La Vega, au sommet du **Santo Cerro,** considéré comme un lieu de pèlerinage, se trouve une relique historique consacrée à Notre-Dame de la Mercedes, patronne de la nation. C'est là qu'a été plantée la première croix en Amérique, par Christophe Colomb, croix qui lui avait été donnée par la reine Isabelle la Catholique lors de son départ de Palos de Moguer. La légende raconte que lors d'une cruelle bataille entre Indiens et Espagnols, lorsque les indigènes tentèrent de brûler la croix, apparut alors sur un des bras de cette croix la Vierge de la Mercedes. De ce sommet du Santo Cerro, on a une vue panoramique exceptionnelle de cette vallée royale. C'est de là que l'amiral Don Christophe Colomb se serait exclamé : «C'est la plus belle terre que des yeux humains n'ont jamais pu contempler.» Cette vallée est également un des plus beaux sites du continent américain.

Continuant son chemin, on arrive à **Santiago de los Treinta Caballeros,** capitale de la fertile vallée du Cibao, la seconde ville en importance de la R.D. avec ses 500 000 habitants. La vallée du Cibao est renommée pour la culture du tabac et Santiago est le pilier de ce produit dont les retombées économiques sont importantes pour la région et l'ensemble du pays. Dans cette vallée, on cultive différentes variétés de tabac : le tabac blond de type Burley et Virginie, le tabac noir ainsi que le tabac appelé Sumatra et

Connecticut, utilisé pour couvrir les cigares. C'est là que sont produits les meilleurs cigares et cigarettes du pays.

À première vue, Santiago est une ville pour les Dominicains, de peu d'intérêt pour le touriste. On dit toutefois que si l'on se donne la peine de la visiter, on y revient volontiers.

À l'entrée de la ville, le visiteur est accueilli par un obélisque de 67 mètres de haut, dédié aux héros de la restauration de la R.D. Le soir, insulaires et touristes s'y rassemblent pour écouter de la musique. La meilleure façon de visiter et de parcourir les parcs et les rues très étroites de la partie la plus ancienne de la ville est de s'asseoir confortablement dans des voitures tirées par des chevaux, un moyen de transport traditionnel et habituel des habitants.

La grande attraction, son casino, à l'hôtel Matum, est juste à l'entrée de la ville. On y a aussi aménagé une immense salle de bingo. Le marché de Santiago est simple mais il est aussi plein de vie; on y retrouve les couleurs locales et le rythme trépidant de cette ville on ne peut plus bruyante. Le musée d'art folklorique

Tomas Morel nous offre une collection d'art populaire. On peut aussi visiter le Centre de la Culture, le musée municipal et le musée du tabac. Les cinémas présentent les mêmes distributions que partout et sans retard.

Intéressante également à visiter, la cathédrale de Santiago Aposto, qui ressemble à Notre-Dame-de-Florence, œuvre de style gothique et néo-classique, de pierre et de brique, enrichie d'impressionnantes fresques. L'autel en acajou sculpté date du siècle dernier.

Les plats typiques du Cibao sont le *sancocho*, mélange de viandes (porc, chèvre, poulet) et de féculents (plantain, manioc, patate douce) dans une sauce douce accompagné de riz. La *longaniza* (saucisse), le boudin, les pattes de porc et les tripes sont d'autres spécialités.

Les fleurs sont abondantes dans toute la région. On y trouve de beaux palmiers, dont celui appelé «arbre du voyageur» parce qu'il donne de l'eau potable.

Les autres villes importantes sont **Moca**, **Jarabacoa, San Jose de las Matas, la Vega, Salcedo** et **San**

Francisco de Macoris, toutes de grande importance agricole et commerciale. La zone de **Cotui** est riche en gisements de minerais comme le fer, l'or et le nickel. Le climat de cette région est de plusieurs degrés plus frais que les zones côtières.

ADRESSES UTILES

Hospital José Ma. Cabral y Baez
av. Central, 583-4311.

SANTO DOMINGO

Santo Domingo, capitale politique, centre culturel, artistique et économique, ville coloniale, haut lieu du tourisme international, la plus vieille cité d'origine européenne en Amérique, est aussi le siège du gouvernement. Près du tiers de la population de l'île y habite. Elle est située sur les deux rives du **fleuve Ozama** dont l'embouchure constitue un port naturel.

Fondée en 1497, elle fut la première capitale du Nouveau Monde. Elle a été la première ville conçue avec un plan d'urbanisme de type castillan. L'architecture datant de cette période est une attraction en soi. Le voyageur qui connaît d'autres villes latino-américaines remarquera la grande différence de style. On y retrouve les uniques exemples de style gothique *Isabelin* de tout le continent. La cathédrale est particulièrement remarquable. Elle contient *ou* contiendrait le tombeau où reposent les restes de Christophe Colomb.

À remarquer dans la zone coloniale, l'usage des pierres taillées à la main dans la construction des édifices qui datent du début du XVIe siècle. Plusieurs des plus beaux exemples de l'architecture espagnole se trouvent dans sa partie la plus ancienne. Il est possible aujourd'hui de revivre des pages de l'histoire de Santo Domingo à travers les noms de Ponce de Leon, Cortes, Francis Drake... en visitant sa partie renovée à la suite de l'ouragan de 1930.

Santo Domingo est en bordure de mer mais n'a pas de plage. Pour se baigner, il faut quitter le magnifique Malecon (promenade longeant la mer) où l'on retrouve les meilleurs restaurants, les grands hôtels, une vie nocturne excitante, des casinos et des magasins.

Santo Domingo est en voie de devenir très dispendieuse : c'est une ville pour les maniaques de la ville, les danseurs, les joueurs ainsi que pour les amants de l'histoire.

Impossible de décrire en détail toutes les visites possibles de cette magnifique ville qui regorge de sites intéressants où l'histoire revit à chaque tournant. Voici quelques suggestions.

- **la ville coloniale**

Un vaste projet de restauration, entrepris vers 1965, permet d'admirer ses remparts, ses vieux murs, ses promenades romantiques à travers les jardins, les monastères, les chapelles et les fontaines qui ramènent le touriste au cœur du XVIe siècle.

- **calle Las Damas**
  (la plus ancienne rue de la ville, la *primada*) :

  - la **puerta de Carlos III** (1502), la plus ancienne porte de la muraille de la ville fortifiée de Santo Domingo.

  - la **fortaleza Ozama**, forteresse rebaptisée par Trujillo «Torre del Homenaje» ou «**Tour des Hommages**» (1502-1507). C'est la construction militaire la plus ancienne du Nouveau Monde. Elle servait de prison. De 1503 à 1924 se sont succédés les drapeaux des sept nations qui sont militairement intervenues dans l'histoire de la R.D. Diego Colon, premier vice-roi des Indes, y vécut en 1504. À cet endroit se trouve le *polvorin* ou **poudrière** où sont conservés poudre et équipement militaire.

- **l'Alcazar** de Diego Colon (1510). Un des monuments des plus impressionnants de cette époque. Résidence du vice-roi et de Marie de Toledo pendant plus de soixante ans. C'est de cet endroit qu'il gouverna le Nouveau Monde, finança et envoya les expéditions qui devaient découvrir ou coloniser le Mexique, le Vénézuéla, la Colombie, Cuba, le Pérou, Puerto Rico et le Guatémala. L'Alcazar fut presque complètement détruit en 1586 par le pirate Drake et reconstruit en 1957. Reconnu pour la beauté de son architecture, l'Alcazar compte 22 pièces, 72 portes et fenêtres, le tout assemblé sans un clou... Les murs extérieurs ont 40 pouces d'épaisseur.

- le **Panthéon National**, édifice à façade sévère construit pour les Jésuites entre 1714 et 1745. En face reposent les restes du Père de la patrie, Francisco del Rosario Sanchez et de Maria Trinidad Sanchez, qui furent fusillés sur l'ordre du général Pedro Santana, personnage que certains considèrent comme un héros national et d'autres comme un traître à la patrie. Pedro Santana, premier président de la R.D., fut réélu 5 fois. On le décrit comme un homme dur, une «main de fer», et dans l'argot dominicain, on dit qu'il fut le *«cuco»* (bonhomme sept-heures) des Haïtiens. Il leur livra de cruelles batailles. Il fut le premier dictateur de la R.D.

- près du Panthéon National, la **maison des Jésuites** (1711), qui, au XVIe siècle était l'université de Gorjon. Elle a été convertie en **Musée des Maisons Royales** *«Museo de las casas reales»*, l'un des plus importants musées de l'architecture coloniale (682-4202).

La légende veut que la nuit on y entende des bruits étranges, spectres de l'âme de certains Jésuites encore repentants...

C'est un important musée retraçant la vie des gens d'alors. Le rez-de-chaussée est réservé à la *Oficina de Patrimonio Cultural.* Cette maison des Aybar, à l'architecture coloniale datant de la fin du XVIIe siècle a été restaurée en 1967. Elle servait de quartiers généraux à la société secrète «la *Trinitaria*» qui a joué un rôle prépondérant dans l'indépendance du pays.

Au temps de la colonie, vers 1511, sous le règne du roi Ferdinand, les Maisons Royales abritaient la salle de l'Audience Royale, un Tribunal Supérieur ou Palais de Justice, possédant l'ultime pouvoir sur tout le Nouveau Monde. Plus tard, ce fut le Palais des Gouverneurs, des Officiers, de la Capitainerie Générale. La Trésorerie logeait également dans ces murs.

Sur la façade de la partie sud des Maisons Royales, qui donne sur la rue Mercedes, on peut voir le seul écu qui existe du temps de la Reine Juana de

Castilla, connue aussi sous le nom de Juana «la Folle» parce que, à la mort de son mari, Philippe le Beau, elle perdit la raison.

• en face du Panthéon, la **chapelle de Notre-Dame de Los Remedios** *«Capilla de Los Remedios»*, chapelle privée d'une famille éminente de la colonie.

- Juste à côté de la chapelle, la **Pendule du Soleil**, *«la Reloj del Sol»* (1753). Jamais elle ne fut réparée et elle indique fidèlement l'heure exacte.

- en bas de la côte de la rue Las Damas, la **Puerta de San Diego** (1540-1555), porte d'entrée des marchandises et des passagers à l'intérieur des murailles.

- si vous jetez un coup d'œil sur la rive gauche du **fleuve Ozama**, vous apercevrez la **chapelle du Rosaire** «*la capilla de Nuestra Senora del Rosario*», première chapelle de la ville construite en 1496. À cette époque, la ville était de ce côté. Les marins ont dédié cette chapelle à leur patronne, la Vierge du Rosaire.

- **l'Atarazana**, *«las Atarazanas»* (les ruelles). Rues étroites, à l'arrière du port, face à l'Alcazar. Les Atarazanas royales sont impressionnantes, uniques en leur genre en Amérique. Une tour se trouve tout près de l'endroit où Christophe Colomb amarra ses trois navires. De là on peut voir le **Faro à Colón**, le monument où reposent ses restes. Cet édifice imposant a été construit au début du XVIe siècle à l'intention des douanes. Il a été restauré en 1972. On peut le comparer à l'Atarazana de Barcelone. Il est considéré comme un joyau architectural des XVe et XVIe siècles.

  Ces vieilles maisons blanches rénovées communiquent entre elles par des couloirs intérieurs où se trouvent des salles d'art, des boutiques, des restaurants ainsi que les bureaux du Patrimoine Culturel.

- la **calle Isabel la Catolica,** rue commerciale ayant gardé son cachet antique. À noter la Iglesia de **Santa Clara** érigée grâce à la générosité d'Alvaro Caballero en 1522. Le couvent fut le premier à recevoir des religieuses à Santo Domingo.

- sur cette rue également, l'**église et la forteresse Santa Barbara,** érigées sur la carrière de pierres d'où a été extirpé le matériel pour la construction de presque tous les monuments ainsi que la muraille de la ville érigée en 1574. C'est dans cette église que fut baptisé le Père de la Patrie, Juan Pablo Duarte.

- la **calle Arzobispo Merino**

  - la **casa del Tostado :** début du XVIe siècle, manoir de l'écrivain Francisco Tostado. Elle fut ensuite la maison archiépiscopale et la résidence des familles illustres. Restaurée, c'est maintenant el **Museo de la Familia Dominicana**, le Musée de la famille dominicaine (689-5057).

  - en continuant sur cette rue, on arrive à la **Maison de la Monnaie**.

- la **calle Luperon** où se trouve le premier hôpital du Nouveau Monde, **San Nicolas de Bari.** Dans cet hôpital fut construite la première **chapelle de la Vierge de Altagracia,** protectrice du peuple dominicain (1503-1508).

- **la ville moderne**

- la **Place de la Culture** située au cœur de la ville de Santo Domingo est accessible par trois artères principales : avenue Maximo Gomez, rues Pedro Henriquez Urena et César Nicolas Penson.

  L'ensemble des édifices modernes logent : la **Bibliothèque Nationale,** la **Cinémathèque Nationale,** la **Galerie des Arts Modernes,** les **Musées d'Histoire Naturelle, de l'Histoire, de la Géographie, de l'Homme Dominicain** et le **Théâtre National.**

- En terminant, il faut mentionner le **Palais National**, le **Musée de la Caleta** (cimetière et funérarium indigène), la **maison de l'ex-dictateur Trujillo à San Cristobal** et les **fameuses grottes Los Tres Ojos**, réputées pour leurs trois lacs d'eau douce, sulfureuse et salée, le **Jardin Botanique du Dr Rafael Moscoso**, l'un des plus grands du monde (1 800 000 m²), le **Indian's Walk Park**, le **Parc d'attractions Municipal...**

N.B. Les musées sont ouverts à des

heures irrégulières, téléphoner pour vérifier les horaires.

VIE NOCTURNE

À Santo Domingo rien ne manque. La vie nocturne est bourdonnante à chaque pas : discothèques, casinos, cinémas, restaurants, théâtres, cabarets, spectacles...

... un *must* à ne pas manquer : **El Meson de la Cava et la Guaraca Taïna,** cavernes sur l'avenue Mirador del Sur : centres nocturnes et restaurants indescriptibles.

URGENCES

Un seul numéro suffit 24 heures sur 24 le **711**.

LE MASSIF CENTRAL
(Cordillera central : tourisme de montagne)

Si les régions côtières proposent aux vacanciers des kilomètres de plage et d'activités récréatives, tout le pays intérieur offre le calme et le repos dans ses massifs verdoyants, ses régions semi-désertiques, ses riches vallées.

Le relief montagneux de la R.D. est le plus spectaculaire de toutes les îles des Caraïbes. Ses montagnes sont les plus hautes des Antilles. Les aborigènes appelaient cette île *Haïti*, ce qui signifie «terre haute». Le Massif central est la colonne vertébrale de l'île et s'étend sur une longueur de 550 km par 80 km de large.

Les rivières les plus longues et les plus profondes ont leur source dans ces sommets. Les principaux sont : le **Pico Duarte** (du nom du fondateur de la République Dominicaine), le plus élevé des Antilles avec ses 3175 mètres au-dessus du niveau de la mer; **la Pelona** et **la Rucilla** dépassent les 3000 mètres; ils sont situés dans la zone de deux parcs nationaux de grande importance scientifique.

La neige a déjà recouvert ces sommets ainsi que **le Platicos** et **le Altos Bandera**. Cette chaîne de montagnes est surnommée les *Alpes dominicaines*... On peut même y louer les symboliques *chalets suisses* avec foyer; l'air devient effectivement très frais le soir, particulièrement en hiver. Il y a peu de complexes hôteliers dans cette région sauf à **Jarabacoa** et à **Constanza**, les deux villes les plus fréquentées par les touristes étrangers et par les Dominicains en vacances qui retrouvent là le printemps éternel.

JARABACOA

Porte d'entrée de la Cordillère, c'est ici que l'on voit les plus denses forêts de pins géants du pays, les *Pinus Occidantalis.* Jarabacoa, très jolie ville, est le point de départ d'excursions jusqu'au Pico Duarte, par la rivière **Yake**. La pénible escalade peut durer deux jours, à dos d'âne, mais les plus téméraires, les plus hasardeux en reviendront avec des souvenirs inoubliables. Les prises de vue y sont des plus impressionnantes, surtout celles des chutes d'eau au pied desquelles on peut aller nager.

CONSTANZA

Les vacanciers qui disposent de plus de temps poursuivront jusqu'à Constanza. Cette ville plutôt froide et inhospitalière est une halte avant de descendre vers le sud, via **San José De Ocoa** ou de remonter au nord par **La Vega** et de se rendre jusqu'à **San José de las Matas** et de poursuivre jusqu'à la frontière de Haïti. La fertile vallée de Constanza est la plus élevée du pays. On y cueille des fraises presque toute l'année.

À **Valle Nuevo**, la température descend à 0° C en décembre et janvier. Dans les vallées de San José de las Matas, Constanza et Jarabacoa, les températures oscillent entre 5° et 12° C tout au long de l'année.

Le climat tempéré de cette région est idéal pour la culture spécialisée, notamment les pommes, les légumes et les fleurs, particulièrement les orchidées et les bromélias.

Les montagnes protègent les villes de l'intérieur du pays des vents et des ouragans. Cette région est un paradis pour le touriste en quête de repos.

Disons en terminant que la mule est le mode de transport qui convient le mieux à cette région.

DEUXIÈME PARTIE

Renseignements pratiques par ordre alphabétique

ACHATS INTÉRESSANTS

AMBRE

L'ambre est le joyau national. La R.D. est le plus gros producteur d'ambre au monde. L'ambre est une résine pétrifiée, produite par un conifère qui existait il y a des millions d'années. Certaines pièces fossilisées, vieilles de 200 millions d'années, ont emprisonné des insectes, des plantes et d'autres végétaux disparus depuis longtemps. On l'appelle également la *gemme des siècles*. La couleur de l'ambre varie selon l'âge des sédiments et la composition géologique du terrain dans lequel il se trouve.

Actuellement, dans le monde, seuls les pays bordant la partie sud de la mer Baltique et la R.D. possèdent des gisements d'ambre. Il y a une grande différence entre l'ambre dominicain et celui des autres pays. L'ambre de la R.D. est extrait de la terre, l'autre vient de la mer; il est plus dur et de ce fait plus ancien.

Les gisements parmi les plus importants au monde et les seuls en Amérique se trouvent au nord dans la province de Puerto Plata.

Excellent achat, les prix sont raisonnables.

ARGENT ET OR

L'argent et l'or constituent de bons achats mais attention, on ne donne aucune garantie sur ces pièces ainsi que sur les bijoux. Il faut être vigilant.

ARTISANAT LOCAL

Il est fait à base de paille, de macramé, de glaise et d'acajou (entre autres, les magnifiques chaises berçantes d'acajou et guano, spécialement emballées pour le transport), de bois pétrifié et de granit taillé ou sculpté.

BIÈRE

Pour les amateurs, les collectionneurs de bière, la plus populaire est la *Presidente*, très douce, et la *Heineken*.

CAFÉ

Le café dominicain est très fort; à rapporter aux amateurs de bon café.

CANNELLE ET VANILLE

Parmi les meilleures.

CORAIL NOIR

On trouve également du corail noir de qualité. Pour vérifier la qualité d'un corail, il suffit de le faire chauffer avec une allumette ou un briquet... le bon corail ne brûle pas.

LARIMAR

Dans l'ouest de l'île, on trouve le *larimar,* ou *turquoise dominicaine*, une magnifique pierre d'une beau bleu azur, une variété de pierre semi-précieuse qu'on ne retrouve que dans quelques mines de la R.D.

NACRE DE TORTUE

Attention : ne pas oublier que l'achat des coquilles de tortues et de tous les dérivés ou produits à base de ces charmants animaux en voie de disparition est totalement illégal, même si sur les plages les vendeurs disent le contraire.

POUPÉES «lime»

Les *poupées authentiques «lime»,* ces petites statues de céramique, sans visage, rappelant les vêtements traditionnels et l'allure des femmes des régions rurales, sont devenues un des cadeaux les plus populaires à rapporter de la R.D.

RHUM de grande qualité

- le *Barcelo Imperial,* réserve spéciale, quantité limitée, bouteilles numérotées : un des meilleurs (pour certains le meilleur au monde);

- les vieux rhums : le *Brugal, extra Viejo,* le *Macorix* (plus sec);

- les rhums *anejos* (de l'année), doux et parfumés;

- le *Bermudez* et le *Siboney.*

TABLEAUX ET SCULPTURES

Tableaux et sculptures d'art moderne et primitif constituent également de très bons achats. Les galeries d'art de Santo Domingo sont parmi les plus réputées des Caraïbes. L'exportation des œuvres d'art est permise et celles-ci s'acquièrent à des prix très raisonnables.

N.B. : Le **MARCHANDAGE** est de mise, mais attention à qui fera la meilleure «affaire» : vous ou le vendeur!...

ADRESSES UTILES

(ambassade, consulats, office du tourisme...)

... au Canada

- Consulat de la République Dominicaine
  1650, boul. de Maisonneuve Ouest,
  bureau 302
  Montréal, Québec, H3H 2P3

  Tél. : (514) 933-9008
  Téléc. : (514) 933-2070

- Office de tourisme de la République Dominicaine
  2089, rue Crescent,
  Montréal, Québec, H3G 2B8

  Tél. : (514) 499-1918
  1-800-563-1611
  Téléc. : (514) 499-1393

  Directrice : Mme Clara Moll

... en République Dominicaine

- Consulat du Canada
  rue M. Gandhi, local 200,
  Santo Domingo, Rép. Dom.

  Tél. : 689-0002

- Représentation Consulaire à Puerto Plata (desservant Samana)

  M. Tim Hall

  Tél. : 586-3305 et 586-4334

- Bureau du Tourisme de Samana
  av. Malecon
  Samana, Rép. Dom.

  Tél. : 538-2350

N.B. : L'Ambassade du Canada qui dessert la République Dominicaine se trouvant à Costa Rica, ne pas communiquer inutilement avec celle qui se trouve à Port-au-Prince, Haïti, ou avec la délégation du Québec en Haïti. Les relations ne sont pas nécessairement chaleureuses avec la république voisine.

AÉROPORTS

N.B. : Pour plus de détails, voir «portes d'entrée de la R.D.».

ANIMAUX FAMILIERS

Si vous voyagez avec un animal, il faut présenter certains documents au *Departamento de Sanidad :*

- pour les **chats :** un certifical de vaccination antibactéries daté de 15 jours avant l'arrivée de l'animal en R.D.

- pour les **chiens :** a) un certificat de vaccination antibactéries : vaccin triple (distemper, lectopirosis, hépatite); vaccin parvo-virus donné 30 jours avant l'arrivée au pays; b) un certificat de santé émis 15 jours avant l'entrée en R.D.

Si ces papiers ne sont pas fournis, l'animal demeurera en quarantaine, et ce, de 8 à 30 jours, selon le pays d'origine.

La Direccion General de Ganaderia autorise l'entrée des autres espèces d'animaux.

Lors de votre départ de la R.D., procurez-vous le certificat de santé, valide pour 72 heures, certificat qu'on exigera à votre retour au Canada. Vous devez vous présenter à la *Oficina de Sanidad Animal* pour vous le procurer :

Tél. : 542-0132.

ARTISANAT ET ART

(Voir «achats intéressants».)

BRONZAGE

Il faut éviter de s'exposer au soleil trop tôt.

Il faut y aller progressivement et avec précaution. Vous courez moins le risque de souffrir de brûlures et votre peau restera dorée (hâlée) plus longtemps.

De plus, comme il est dit dans les conseils pratiques, il faut se munir d'une bonne crème solaire et les bains de soleil doivent être courts au début, augmenter les séances graduellement.

CAFÉ

(Voir «achats intéressants».)

CAMPING

Aucun règlement n'interdit le camping; on peut en principe dormir sur les plages mais la pratique n'est pas courante et les installations sanitaires plutôt rares. Mieux vaut s'informer dans chacune des régions.

CARNAVAL

(Voir «fêtes».)

CASINO

Il y a plusieurs casinos en R.D. :

- à Santo Domingo
- à Juan Dolio
- à Puerto Plata.

CLIMAT

La R.D. jouit d'un climat tropical très confortable qui est stabilisé à la fois par la brise, au large, et par l'altitude dans les terres. Les pluies qui sont suffisamment importantes toute l'année donne une terre riche qui, entre autres, produit des fleurs rares comme les orchidées avec plus de 300 variétés.

La température moyenne annuelle est de 28°C. Elle est d'environ 20°C l'hiver et de 30°C l'été. La meilleure période pour visiter le pays : de janvier à mai. Celle à éviter : octobre et novembre : saison des pluies. Août est le mois le plus chaud; janvier, qui est le plus frais, demeure quand même très agréable. Il faut pourtant apporter des lainages, car les soirées sont plutôt fraîches. De mai à octobre, les averses brusques et drues, mais rarement prolongées, n'empêchent pas le soleil de briller. C'est aussi la saison des ouragans qui, quoique rares, sont parfois dévastateurs et meurtriers.

COFFRETS DE SÛRETE

(Voir «monnaie».)

COMBATS DE COQS
(Peleas de gallo)

Ces combats font partie du folklore dominicain et ont lieu tous les samedis dans les *galleras* (petits stades en forme de cône) à proximité de la ville.

COMMUNICATIONS

- Postes

Des bureaux de poste se retrouvent presque partout. Les lettres par avion mettent environ deux semaines pour parvenir à destination.

- Téléphone

Le service téléphonique s'est beaucoup amélioré ces dernières années. Il s'étend sur presque toute l'île, même s'il n'est pas toujours à portée de la main. Dans beaucoup d'hôtels, il est possible de téléphoner directement au Québec sans difficulté. Le développement dans le domaine des télécommunications permet d'entrer en contact avec n'importe quelle partie du monde.

CONSEILS PRATIQUES

Avant le départ

- Bien se documenter.
- Se reposer pour profiter de son voyage.
- Recourir aux services d'un conseiller ou d'une conseillère en voyages.
- Prendre avec soi les médicaments dont on a besoin.
- Faire nettoyer son appareil photo.
- Acheter des rouleaux de pellicule, ici de préférence.
- Prendre une assurance-voyages.
- Se procurer un «sac» pour camoufler son argent.
- Un petit dictionnaire espagnol est toujours utile.
- Apporter une petite lampe de poche.
- Si on a besoin d'une crème solaire particulière, mieux vaut l'apporter.

- Même s'il n'est pas requis pour la R.D., le passeport reste la meilleure carte d'identité.

Au départ

- Voyager léger, avec le minimum de bagages.
- Penser au retour : liste d'achats divers, de souvenirs...
- Arriver à l'aéroport au moins 2 heures avant le départ.

En voyage

- Ne pas hésiter à recourir aux bureaux d'information.
- Toujours déposer vos objets de valeur dans le coffret de l'hôtel.
- Sous les tropiques, l'alcool est traître, méfiez-vous.
- En R.D., il existe un système de commissions pour payer les gens du pays qui font des recommandations. Tout en n'étant pas un phénomène inhabituel dans les endroits touristiques, il reste que les petits commerces qui ne peuvent pas se permettre de payer ces commissions sont «boycottés»...

Lorsqu'un chauffeur de taxi ou un guide vous dit qu'il ne connaît pas l'endroit où vous désirez aller et essaie de vous en suggérer un autre... soyez vigilant, par exemple, en téléphonant à l'endroit où vous désirez vous rendre pour en connaître le chemin.

CONSULATS

(Voir «adresses utiles».)

COURRIER

(Voir «communications».)

COUTUMES

ATHEBEANENEQUE'N

Dans ce sacrifice rituel, l'épouse favorite (ou les épouses favorites) d'un chef indien décédé étai(en)t enterrée(s) vivante(s) avec lui. L'historien Gonzalo Fernandez de Oviedo, qui écrivit une narration détaillée de l'histoire de la colonie décrivit de la façon suivante la coutume indienne : «Tel était le nom donné, par les Indiens de cette île, aux jolies et fameuses épouses qui étaient enterrées vivantes avec leur mari. Puisqu'elles n'étaient pas indépendantes, et même si elles n'étaient pas d'accord, elles étaient quand même enterrées avec leur époux.»

DANSE

Ventre plein, ventre creux, le Dominicain, la Dominicaine, sont des fanatiques du *merengue*, la danse nationale, la grande danse populaire. Son rythme nous poursuit du matin au soir, du soir au matin, sur toutes les stations radiophoniques, dans les endroits publics, par les portes et fenêtres des maisons, jusque dans la rue.

Le *merengue* est l'expression de l'entité dominicaine. On y raconte ses amours, tristes ou joyeuses, pour la vie, pour toujours, ses peurs, ses habitudes, la vie au quotidien. Si le baseball (avec un faible pour les Expos de Montréal) est le sport national, le *merengue* demeure le moyen d'évasion priviligié et aussi un moyen de séduction où le mouvement de va-et-vient de la hanche est aussi sensuel pour l'homme que pour la femme.

La R.D. est le foyer du *merengue.* On y danse aussi la *mangulina*, *le carabiné*, la *salsa...*

DISTANCES

Tableau des distances	Azua	Bani	Barahona	Elias Piña	Higüey	La Romana	La Vega	Nagua	Puerto Plata	Samana	San Cristobal	S.F. de Macoris	San Juan	S.P. de Macoris	Santiago	Santo Domingo
Azua		55	80	137	287	250	207	252	293	319	91	214	83	196	232	121
Bani	55		135	192	232	195	190	197	257	264	36	197	138	141	215	66
Barahona	80	135		171	367	330	287	332	373	399	171	294	133	276	312	201
Elias Piña	137	192	171		424	387	344	389	290	456	228	321	54	333	261	258
El Seibo	247	192	327	384	43	50	256	296	352	298	156	265	330	63	291	126
Higüey	287	232	367	424		37	300	381	402	448	196	304	370	91	341	166
La Romana	250	195	330	387	37		261	298	342	359	161	275	333	54	305	131
La Vega	207	190	287	344	300	261		116	105	183	118	47	290	205	44	130
Monte Cristi	307	332	356	185	458	413	161	260	137	321	280	177	218	367	117	295
Nagua	252	197	332	389	381	298	116		155	73	177	77	377	242	137	176
Puerto Plata	293	257	373	290	402	342	105	155		222	195	121	376	310	61	235
Samana	319	264	399	456	448	359	183	73	222		235	144	402	309	204	243
San Cristobal	91	36	171	228	196	161	118	177	196	235		135	174	105	162	30
S.F. de Macoris	214	197	294	321	304	275	47	77	121	144	135		297	209	51	143
San Juan	83	138	133	54	370	333	290	377	376	402	174	297		279	315	204
S.P. de Macoris	196	141	276	333	91	54	205	242	310	309	105	209	279		269	75
Santiago	232	215	312	261	341	305	44	137	61	204	162	51	315	269		166
Santo Domingo	121	66	201	258	166	131	130	176	235	243	30	143	204	75	166	

DIVORCE

... le divorce à la vapeur... Ceci n'est pas une invitation mais une information... En accord avec les lois dominicaines, un couple étranger peut obtenir le divorce en 24 heures, lorsque l'un des conjoints présente un acte de séparation, librement légalisé. L'accord mutuel entre les conjoints est nécessaire et ils doivent être représentés par un avocat dominicain devant les tribunaux. Il y a des bureaux spécialisés dans ce type de cause...

DROGUES

SUR TOUT LE TERRITOIRE DE LA RÉPUBLIQUE DOMINICAINE, LE TRAFIC, LA POSSESSION ET LA CONSOMMATION DE DROGUES ET STUPÉFIANTS SONT PÉNALISÉS PAR LA LOI.

La loi nº 168 sur les drogues et narcotiques en vigueur en R.D. dit, dans son article nº 5 :

Pour fin de la présente loi, sont considérés comme drogues et narcotiques :

a) l'*OPIUM* sous toutes ses formes;

b) tous ses dérivés (alcaloïdes, sels, composés, préparations ou substituts synthétiques);

c) coca (*ERITHROXILON COCA)*;

d) *COCAÏNE,* ses dérivés ou substituts synthétiques ou de quelconques composés dans lesquels il y a trace;

e) toutes les plantes de la famille de la *CANNABINACEAS* et les produits qui en sont dérivés et qui contiennent des propriétés stupéfiantes ou stimulantes, tels que *CANNABIS INDICA, CANNA BISATIVA, MARIHUANA* et autres herbes qui contiennent des propriétés similaires.

SANCTIONS

1) SIMPLE POSSESSION : amende de trois cents à mille pesos ou prison de six mois à un an, ou les deux. AUCUNE CAUTION.

2) TRAFIQUANT : amende de dix à cinquante mille pesos *et* prison de trois à dix ans. AUCUNE CAUTION.

EAU

Bien que 80% de la population dispose d'eau potable, par mesure de précaution, il est préférable d'acheter de l'eau embouteillée pour éviter la «vengeance de *Caonabo*» (diarrhée ou *turista*).

Pour ce qui est des plages, l'eau y est d'une température raisonnable : rarement en dessous de 26°C pendant la saison «fraîche» et de 28°-29°C entre juillet et octobre.

ÉLECTRICITÉ

Le courant est de 110 volts, 60 cycles... comme au Canada et aux États-Unis. Il est toutefois préférable de s'informer à l'hôtel.

Comme dans toutes les villes de pays non producteurs de pétrole, il y a souvent des pannes de courant. Cependant, la Corporation Dominicaine d'Électricité, entreprise qui produit, distribue et commercialise l'électricité, considère comme secteur de grand intérêt public, les zones hospitalières et de cliniques, ainsi que les zones touristiques où sont situées presque tous les hôtels de la capitale et les villes de l'intérieur.

Ainsi tous les hôtels possèdent des génératrices en cas d'urgence.

N'oubliez pas votre lampe de poche.

ENFANTS

Il est intéressant de savoir que la plupart des hôtels et complexes touristiques offrent des services de garde.

FAUNE

La faune de la R.D. est constituée essentiellement d'oiseaux généralement colorés : colibris, pélicans, flamants, hérons bleus ou blancs, ibis, tourterelles tristes, perroquets...

De ce groupe, il faut signaler *la cotica* qui fait partie de la vie quotidienne des Dominicains, riches et pauvres. Son duvet exotique et sa facilité extraordinaire à reproduire le langage humain en font une mascotte très appréciée des jeunes et des vieux. Très observateur, il peut être sympathique, espiègle, cynique, diplomate, «mauvaise langue»... Il existe des restrictions à la capture et à la vente de la cotica, en voie d'extinction, et des sanctions s'appliquent si on enfreint ces restrictions.

Outre les oiseaux, il existe quelques animaux propres au pays : certaines espèces d'iguanes, le crocodile américain, la cigogne palmière : rien de dangereux pour les humains. Quelques serpents vite consommés par les mangoustes; quelques tarentules qui se préoccupent peu des touristes; quelques scorpions presque inoffensifs, qui donnent l'occasion de raconter des actes de bravoure aux amis au retour.

Le véritable combat se livre surtout contre les *mosquitos*, ces détestables maringouins, et les *jejenès*, mouches noires.

Dans l'ouest de l'île, on retrouve des daims.

FÊTES

(jours de fêtes nationales, carnavals, fêtes légales)

- 1er janvier : Nouvel An.
- 6 janvier : Fête de l'Épiphanie. C'est la fête des enfants. Ce sont les Rois mages, et non le Père Noël, qui apportent les cadeaux.
- 21 janvier : Notre-Dame de la Altagracia.
- 26 janvier : Naissance de Duarte, libérateur du pays.

- 27 février : Jour de l'Indépendance à Santo Domingo. Mardi gras à Santiago et à la Romana.
- Semaine sainte à partir du Vendredi saint : la Semaine sainte en est une de festivités. Les écoles ferment leurs portes. Plusieurs commerçants ferment boutique. Les plages sont envahies. La première baignade de l'année salue l'arrivée du printemps. On boit, on danse. Partout c'est la fête.
- 1er mai : Fête des travailleurs.
- Corpus Cristi : 60 jours après le Vendredi saint.
- 16 août : Jour de la Restauration de l'Indépendance .
- 24 septembre : Jour de Notre-Dame de Las Mercedes.
- Octobre : Festival de l'ambre.
- 25 décembre : Noël.

N.B. : Le carnaval a perdu son symbole religieux pour se convertir en une fête régionale. On le célèbre à différentes dates selon la ville. Le carnaval pour le jour de l'Indépendance demeure le plus populaire.

FLORE

De toutes les espèces dominicaines en voie de disparition étudiées, les orchidées constituent la famille la plus nombreuse. Il y a quelque 300 variétés classifiées, la majorité d'entre elles de formes rares et intéressantes pour les collectionneurs.

Seul le Jardin Botanique National peut émettre le certificat de «non danger d'extinction» indispensable pour l'exportation.

FORMALITÉS D'ENTRÉE EN R.D.

...À l'atterrissage

Avant d'arriver aux ports, aux aéroports ou avant même de traverser la frontière, vous devez remplir un formulaire international réglementaire qui doit être présenté aux autorités de l'immigration. En fait, ce formulaire ne contient que les renseignements de base en ce qui a trait à votre passeport, le but de votre visite et la durée de votre séjour.

• Règles de la douane

- Papiers d'identité

Les citoyens canadiens peuvent voyager ou résider en R.D. pour une durée n'excédant pas 60 jours, et ce, avec une carte de tourisme qui leur est fournie lors de l'achat d'un billet d'avion ou d'un forfait.

Pour une prolongation du permis de séjour, contacter la Direction Générale de la Migration, Département des Affaires.

Présentement le passeport n'est pas obligatoire bien que fortement recommandé. Trois pièces d'identité suffisent pour entrer en République Dominicaine.

- Fouille des bagages

Souvent le voyageur devra, à l'arrivée, ouvrir ses bagages et même les laisser fouiller. Les articles considérés comme équipement personnel ne présentent aucun problème lors du passage à la douane. Vous avez le droit d'apporter un litre d'alcool, 200 cigarettes et des articles pour une valeur de 100 $US. À noter qu'il est interdit d'importer des fruits et des légumes.

FORMALITÉS DES DOUANES AU RETOUR AU CANADA

Tout résident du Canada revenant au pays après un séjour à l'étranger a droit à une exemption personnelle et peut donc rapporter des articles au Canada sans avoir à payer de droits si la valeur de ces articles ne dépasse pas un certain seuil.

Vous pouvez rapporter :

* après une absence de 24 heures ou plus, en tout temps, des articles (à l'exception des produits du tabac et des boissons alcooliques) dont la valeur globale ne dépasse pas 20 $;

* après un absence de 48 heures ou plus, en tout temps, des articles dont la valeur globale ne dépasse pas 100 $;

* après une absence de 7 jours ou plus, une fois par année civile, des articles dont la valeur globale ne dépasse pas 300 $.

N.B. : Vous ne pouvez pas combiner l'exemption de 48 heures (100 $) et l'exemption annuelle (300 $). Il n'est pas permis non plus d'utiliser la moitié de l'exemption annuelle de 300 $ et de réserver l'autre moitié (150 $) pour un autre voyage au cours de l'année.

* **Bureaux de douane régionaux**

Québec :

130, rue Dalhousie
Québec (Québec)
G1K 7P6
(418) 648-4445

Montréal :

400, place d'Youville
Montréal (Québec)
H2Y 3N4
(514) 283-9900

** Pour connaître l'adresse des bureaux se trouvant dans d'autres villes, vous devez consulter l'annuaire téléphonique sous la rubrique **«Gouvernement du Canada, Douanes et Accise».**

GASTRONOMIE

La R.D. offre une gamme de restaurants confortables et accueillants. Dans la plupart des cas, le chef y est compétent et entouré d'un personnel respectueux et chaleureux. L'immigration importante et variée qui a marqué l'histoire de ce pays y a permis le développement de la cuisine de plusieurs pays, ancienne autant que moderne : cuisine française, italienne, allemande, chinoise, espagnole. La plupart des restaurants présentent un menu international en plus de leurs spécialités.

La coutume est de dîner tard : après le cinéma, le baseball, le magasinage...

En règle générale, les restaurants acceptent toutes les cartes de crédit.

Selon la loi, un pourboire de 10% s'ajoute à la facture. Le touriste peut augmenter ce pourboire si le service lui a paru particulièrement bon.

La cuisine typique et régionale

La cuisine typique dominicaine, connue sous le nom de *la bandera*, se compose de riz blanc, de fèves rouges, de viande, de ragoût, accompagné de salade et de *fritos verde*, qui sont des bananes vertes frites d'une manière spéciale.

La République vous offre d'autres mets très savoureux de sa cuisine régionale.

- le poisson avec coco de la région de Samana;

- la chèvre d'Azua ou de Monte Cristi. Cette chèvre possède une saveur particulière à cause de son alimentation quotidienne incluant l'origan sylvestre. À cause de cela sa cuisson ne nécessite aucun autre assaisonnement;

- les crabes de Puerto Plata, Miches et San Pedro de Macoris;

- le traditionnel *sancocho* (genre de ragoût national). Le sancocho dominicain est un dérivé gastronomique de la cuisine espagnole et chaque région offre son propre style particulier de préparation. Ne partez pas sans avoir essayé un *sancocho prieto* fait de sept sortes de viandes;

- les *johnnycakes* que vous pouvez commander sous le nom de *yaniqueques* à n'importe quel coin de rue de la ville et sur les plages. Ce sont des galettes préparées à l'eau de coco;

- le *mangu*, purée de bananes vertes, recommandé si vous souffrez du mal du touriste (turista); il figure toujours au déjeuner créole qu'offrent presque tous les hôtels;

- le *casabe* et les *catibias* sont les seuls aliments aborigènes conservés dans la cuisine typique dominicaine. Pour ceux qui préfèrent les régimes d'aliments naturels et végétariens, il est important de signaler que ce sont des aliments riches en fibres végétales avec à peine 0,35% de gras par portion. Vous pouvez acheter le *casabe* dans tous les magasins et supermarchés du pays. Les hôtels et les restaurants créoles l'offrent au lieu du pain;

- le *locrio* dominicain est en quelque sorte le riz à la mode de Valence. La tradition veut que les dames espagnoles qui vinrent ici adaptèrent leurs recettes aux ingrédients trouvés dans l'île. Par exemple, elles remplacèrent le safran par le *rocouyer* et créèrent cette recette qui donna naissance au *locrio* dominicain. Il se fait toutes sortes de *locrio*. C'est le plat le plus versatile de la cuisine créole, qui permet avec un peu de riz de créer des plats exquis;

- typiquement créole les plats de viandes et de poissons apprêtés à la «*guisado*», une sauce tomate relevée d'ail, d'oignons et d'herbes;

- la *cassave* et le *manioc* d'origine *taïno* sont encore consommés dans tout le pays.

HORAIRE

En hiver, s'il est 11 h à Montréal, il est midi en R.D.

En été, s'il est 11 h à Montréal, il est la même heure en R.D.

Lever et coucher du soleil : la durée du jour est d'environ 13 heures en juin et de 11 heures en décembre. Le soleil se couche toujours à 18 h en R.D.

Heures de travail : les bureaux gouvernementaux sont ouverts de 7 h 30 à 14 h 30. Les magasins et services, de 8 h à 12 h et de 14 h à 17 h. Les banques sont ouvertes de 8 h 30 à 13 h. Bureaux, magasins et banques sont fermés le dimanche. Les musées et parcs publics sont généralement ouverts du mardi au dimanche, de 10 h à 17 h.

Durée du vol : la liaison de Montréal vers Puerto Plata ou Santo Domingo est d'environ quatre heures.

LANGUE

L'espagnol est la langue officielle. La signalisation, les menus, sont en espagnol. Les grossistes et les hôtels ont un personnel francophone et anglophone.

Un petit dictionnaire d'espagnol peut être d'une grande utilité.

MONNAIE

Le symbole du peso dominicain est RD$. Le peso dominicain est divisible en centimes; il existe aussi en coupures de 5 et 10 RD$. Bien qu'il se soit stabilisé, le RD$ est plutôt fluctuant. Le cours varie d'une ville à l'autre et même d'une banque à l'autre. Le taux de change est meilleur dans les banques, les maisons de change et les aéroports. Le marché noir, beaucoup moins actif ces dernières années, présente un certain risque parce que les changeurs restent très habiles. Souvent des marchands étrangers établis en R.D. demandent à être payés en monnaie autre que le peso, particulièrement en $ US. **Le voyageur n'est pas tenu** d'obtempérer à de telles demandes.

Les chèques personnels ne sont pas acceptés. Par contre, la plupart des cartes de crédit sont les bienvenues.

Au terme de la loi monétaire républicaine, seul le peso peut servir à payer comptant et il est interdit de payer en monnaie étrangère.

Enfin, il est interdit à toute personne, étrangère ou dominicaine de sortir du pays avec une somme supérieure à 5000 $US ou son équivalent dans une autre monnaie étrangère.

MUSIQUE

Les Dominicains ont une tendance naturelle à danser. Un observateur français, le Père Labat, écrivait en 1795 : «La danse est la passion favorite à Saint-Domingue et je crois qu'il n'y a aucun autre peuple au monde qui y accorde autant d'importance...»

Seul le chant rivalise avec la danse dans le cœur du Dominicain. Ici, il est encore d'usage de bercer l'enfant et de lui chanter une berceuse avant de le coucher. L'enfant grandit donc avec des jeux où le chant est présent. L'adolescent paysan chante un air improvisé en travaillant sur un lopin de terre. Il chante aussi lorsqu'il tombe amoureux. La coutume veut que l'on chante des sérénades à la femme aimée.

À la campagne, lorsque meurt un enfant, on chante lors du *baquini* (cérémonie funèbre).

De tous les rythmes du folklore dominicain, le *merengue* reste l'expression la plus populaire. Tous ceux qui l'entendent vibrent au rythme contagieux de la *güira*, de la *tambora* et de l'accordéon.

La *güira* est un instrument typiquement dominicain qui se présente comme une raie de laiton de forme cylindrique creuse, qui, lorsqu'on la gratte avec un grattoir, produit un son railleur et rythmique. Les Indiens l'utilisaient lors de l'*Areito* (festival). Ils la fabriquaient avec un figuier sec.

La *tambora* : la peau de l'un de ses côtés est celle d'une vieille chèvre, tandis que l'autre côté est fait avec la peau d'une jeune chèvre qui n'a pas encore accouchée et qui a été trempée dans le rhum. Pour les amateurs de *merengue*, nous trouvons un très bon orchestre dominicain à Montréal : **La Moda**.

NUDISME

Le nudisme est formellement interdit partout dans l'île et la loi s'applique sévèrement.

PARCS

La R.D. foisonne de parcs qui relèvent de l'État ou des municipalités. La Direccion de Parques est l'organisme qui gère ces espaces protégés. Si vous désirez vous récréer en observant animaux et plantes, vous pouvez vous adresser à cet organisme : 685-1316.

Voici quelques parcs urbains que l'on peut visiter.

- Dans la ville de Santo Domingo : l'aquarium national, les jardins botaniques Mirador Sur et Mirador Este, le parc zoologique national.

- À l'intérieur du pays : le parc historique de la Vega Vieja (province de la Vega), le parc archéologique de la Isabella (province de Puerto Plata).

- Il existe aussi plusieurs parcs nationaux et réserves scientifiques. Pour informations, s'adresser à la Direccion de Parques : 685-1316.

- Voir aussi «faune» et «flore».

PERMIS DE CONDUIRE

Le permis québécois est accepté.

PHILOSOPHIE DU *MANANA*

Manana = demain ou *manana por manana* = après-demain... semble la devise de la plupart des gens vivant sous les tropiques. La R.D. n'échappe pas à cette philosophie où tout devrait se régler demain... ou après-demain.

PHOTOGRAPHIE

Pour les amateurs comme pour les professionnels, la R.D. offre des scènes naturelles de toute beauté.

Il est défendu de photographier dans les musées, dans certaines enceintes ou zones militaires ainsi que les militaires en service.

Par simple civisme, il est préférable de demander la permission aux gens avant de les prendre en photo.

On peut se procurer des rouleaux de pellicule en R.D. mais il est préférable de s'en procurer avant le départ.

PLAGES

(Les plages les plus importantes ont été décrites dans chacune des régions.)

À noter que les techniciens de l'Unesco, lors d'une étude de reconnaissance territoriale ont déclaré : «Nous pouvons affirmer, sans crainte ni doute, que cette zone doit être incluse parmi les plus belles plages au monde.»

POIDS ET MESURES

Il est important de souligner que malgré l'adoption du système métrique, l'usage de certaines unités du vieux système espagnol prévaut encore. Par exemple, pour peser les solides, on utilise l'once et la livre au lieu du gramme et du kilo. L'essence et l'huile pour l'automobile se calculent au gallon américain : 128 onces; par contre, l'huile comestible se calcule à la livre. L'étoffe se mesure à la verge et le rhum, la bière et d'autres liquides se mesurent à la bouteille.

Une autre forme peu conventionnelle est le marchandage qui s'établit entre le client et le vendeur, qui utilise «sa» mesure. Le prix dépend de l'habilité de chacun en relations humaines.

En zone rurale, si vous demandez à un paysan à quelle distance se trouve un lieu quelconque et qu'il vous répond «alli mismo» (ici même), ne tentez pas de parcourir cette distance à pied, à moins d'être bon, très bon marcheur.

D'autres mots à retenir : «un chin» (un peu), «un chin chin» (un petit peu), une «rumba» (beaucoup)...

PORTES D'ENTRÉE DE LA RÉPUBLIQUE DOMINICAINE

On peut accéder à la R.D. de diverses manières.

- L'avion

Le pays compte six aéroports internationaux :

- l'aéroport **Las Américas** (549-0450 ou 589-0480) au sud, à 25 km de Santo Domingo et à 6 km de Boca Chica. L'aéroport est ouvert 24 heures par jour et on y trouve un bureau de change.

Le service d'autobus laisse à désirer entre l'aéroport et la capitale. À moins d'avoir un forfait incluant les transferts, mieux vaut prendre un taxi en ayant bien soin de s'entendre avec le chauffeur sur le prix à payer avant même de s'asseoir dans le taxi.

Deux km séparent l'aéroport de l'autoroute où on peut prendre un minibus ou un taxi collectif à peu de frais, à condition que ce soit avant le coucher du soleil.

- également au sud, l'aéroport **Herrera** (567-3900).

- **Aierodromo International de Punta Cana** à Higüey (686-8790). Il dessert principalement les centres touristiques du Club Med, du Punta Cana Beach Resort, du Club Dominicus, du Bavaro Beach Resort et du Club de Yacht de Punta Cana.

- au nord, l'aéroport **La Union** à 20 km de Puerto Plata et à 5 km de Sosua (586-0219). Actuellement les prix des taxis sont fixes... mais entendez-vous avec le chauffeur avant le départ.

Même possibilité qu'au sud de marcher jusqu'à l'autoroute, de héler un minibus ou un taxi collectif à un prix beaucoup moindre mais toujours avant la tombée du jour.

- à Santiago, l'aéroport **Cibao** (582-4894).

- à la Romana, l'aéroport **Punta Aguila** (556-5565).

Presque tous les aéroports offrent des boutiques hors taxe, des comptoirs de change, des agences de location de voitures et d'autres services (restaurants, taxis, autobus...).

Il est fréquent de faire ouvrir ses valises et même de se faire fouiller à l'arrivée selon les lois dominicaines. Notez bien qu'il est interdit d'entrer des fruits, des légumes ou tout autre aliment périssable en R.D. comme partout ailleurs.

ATTENTION à vos valises, à l'arrivée surtout. Les porteurs vous «arrachent» littéralement vos bagages et s'attendent à un «bon» pourboire, en $US, s'il vous plaît, alors que vous vous attendez au transport gratuit de vos bagages étant donné qu'on vous a dit que les transferts sont inclus dans votre forfait. Ce qui est inclus, semble-t-il, c'est le transfert par la navette du grossiste entre l'aéroport et l'hôtel, et non la manutention des bagages de l'aéroport à la navette. En tout cas, il semble que ce soit ce dont les porteurs sont convaincus. À vous donc de vous «agripper» à vos bagages ou de payer pour le service.

À PRÉVOIR une taxe de départ de 10 $US à 12 $US, et non en monnaie locale, est perçue de tous les voyageurs.

- **La croisière**

Aucune compagnie maritime n'assure le transport des passagers au départ de Montréal, Québec ou d'une autre ville du Canada. Par contre, dans la baie *«bahia»* de Puerto Plata, il y a un port touristique où arrivent des bateaux de croisière chaque semaine ainsi qu'à Santo Domingo. Consulter votre conseiller ou conseillère en voyages sur les croisères faisant escale en R.D.

- **La route**

On peut entrer en R.D. en provenance d'Haïti via **Dajabon** au nord-ouest.

POURBOIRES

(Voir «taxes».)

RACISME

Le racisme est peu prononcé mais il marque la place de chacun dans la société. Le pouvoir politique et les leviers économiques sont entre les mains des Blancs; les Métis se retrouvent dans les petits commerces et les services publics et constitue la grande majorité des effectifs militaires; les Noirs restent au bas de l'échelle, sans autre pouvoir que de naître et de reproduire les coupeurs de canne à sucre.

RELIGION

En R.D., il y a liberté des cultes. Le catholicisme est la religion officielle. Les Dominicains ne sont pas des plus fervents. Il croient en Dieu, certes, mais aussi aux fantômes, aux esprits malins; les pratiques de vaudou importées d'Haïti et les mythologies dérivées de leurs racines africaines, composent un ensemble métaphysique où se dénombrent à peu près autant de sectes que de villages. Aussi, de nombreuses communautés internationales y ont pignon sur rue.

SANTÉ

En ce qui a trait à la salubrité en R.D., les études sérieuses réalisées par divers organismes, dont l'Organisation Mondiale de la Santé, concluent que le niveau de salubrité publique et de longévité est égal à celui qui prévaut en Amérique du Nord. Il n'existe pas d'épidémies, ni de maladies pulmonaires, ni de fièvre jaune...

Aucune vaccination n'est requise pour entrer en R.D. En général, l'eau est bonne, mais on conseille quand même de se procurer de l'eau purifiée.

Il y a des cliniques ouvertes 24 heures par jour dans les grands centres et, en général, les hôtels peuvent vous obtenir les services d'un médecin.

Des pharmacies sont aussi ouvertes 24 heures par jour. On y trouve les médicaments génériques à des prix normaux. Cependant si votre santé nécessite des médicaments spécifiques, il est préférable que vous les apportiez avec vous.

Enfin les soins médicaux doivent être payés d'avance, en argent comptant. Des reçus sont remis aux patients grâce auxquels ils pourront se faire rembourser dans leur pays.

... attention aux maladies transmises sexuellement... prenez vos précautions.

SIESTE

En R.D., la sieste après le déjeuner est une coutume. Dix ou quinze minutes, dans un hamac après avoir mangé... pas évident pour nous nord-américains.

SPORTS

Le climat clément et plutôt stable de la R.D. en fait un lieu privilégié pour la pratique du sport durant toute l'année. La R.D. étant une île, on y trouve plus de 750 km de plages; de plus, les sports nautiques y sont privilégiés :

* la voile, entre autres à l'île de Saona et à Cabarete;

* le bateau : des marinas, un peu partout, louent des bateaux à l'heure ou à la journée;

* la pêche en haute mer et la pêche sous-marine, pour les aventureux : la Romana, Cabeza de Toro, Boca de Yuma, Monte Cristi, Puerto Plata, Samana...

* la plongée sous-marine : la R.D. est entourée de plusieurs bancs de corail, cavernes et fissures;

* des tournois de pêche internationaux de marlin bleu, de doré et de bonito.

On peut pratiquer, en R.D., à peu près tous les sports populaires dans les lieux de villégiature des Caraïbes :

* le golf, surtout à la Romana, Playa Dorada, au Santo Domingo Country Club...

* le tennis et le tennis sur table dans presque tous les hôtels;

* le polo, à Sierra Prieta et Casa de Campo de la Romana;

* l'équitation sur les plages ou en montagnes...

Pour les amateurs de spectacles de sport :

* le baseball, professionnel et amateur : c'est le sport national;

* le ballon-panier, quoique moins populaire, se pratique aussi de juin à août;

* les combats de coqs.

BREF, à part les sports d'hiver... on peut pratiquer, et dans des conditions très intéressantes, à peu près tous les sports en R.D.

TAXES ET POURBOIRES

Une taxe de service de 10% est ajoutée à la note de restaurant. Un supplément de 5 à 10%, laissé au bon vouloir du client, est de mise lorque le service vous satisfait particulièrment. Les hôtels des grands centres perçoivent, en plus du 10%, une autre taxe gouvernementale de 5% et une nouvelle taxe de 6% pour ventes générales et consommation de services. Il n'y a cependant pas de taxe sur les produits vendus en magasin.

À ne pas oublier : 10 à 12 $US pour la taxe de départ de la R.D., obligatoirement payable en $US.

TENUE VESTIMENTAIRE

On conseille des vêtements légers sans toutefois oublier des lainages pour les soirées occasionnellement fraîches. La tenue vestimentaire est généralement décontractée.

Le veston ou la cravate ne sont pas requis, même au casino. Les shorts et les pantalons sont acceptés partout. Le soir, pour aller dîner ou danser, pantalon pour monsieur, robe pour madame, sont recommandés. L'air est climatisé dans la plupart des hôtels, un lainage est à conseiller.

TRANSPORT

La R.D. offre des moyens de transport qui vont des plus sophistiqués aux plus simples.

• Avions

Les lignes aériennes domestiques proposent un service de transport sur des lignes préétablies ou un service de vol nolisé.

• Autobus

*Pour les touristes : des autobus très confortables, itinéraires fixes avec musique d'ambiance;

*Autobus réguliers : autobus confortables entre les grands centres; circuits réguliers.

• Taxis

Grande facilité de location de taxi. **Attention :** les taxis n'ont pas de taximètre. Pour les trajets réguliers (préétablis), les prix sont fixes; ils sont affichés dans les stands et les hôtels.

Si vous voyagez hors des trajets réguliers, il est recommandé de fixer le prix du trajet avant de prendre place dans le véhicule.

Si vous désirez économiser, il existe des taxis *«conchos»* qui prennent plusieurs passagers qui montent et qui descendent tout au long d'un parcours préétabli. Bien s'entendre sur les prix avant de s'y installer.

• ***Gua-gua*** **:** transport le plus économique et le plus typique; il s'agit de véhicules du secteur public ou privé offrant le service collectif sur des trajets établis. Ces véhicules sont sécuritaires malgré les apparences. Attention cependant au prix demandé; renseignez-vous sur les tarifs avant de partir ou observez simplement combien il en coûte à un Dominicain qui monte et descend en même temps que vous.

• **Moto :** le transport en moto est très répandu. Tenez-vous bien, on conduit vite et les routes sont cahoteuses. Transport économique et amusant pour les braves.

• **Calèche :** on peut en louer autour des parcs.

• **Location de véhicules :** on peut louer des autos, des jeeps, des scooters et des motos. La location des deux roues n'est pas très recommandée à cause de l'état des routes... Même avec les autos, il faut être très prudent.

Il faut être âgé de 25 ans; le permis international n'est pas obligatoire pour un Canadien.

En général, la carte de crédit est obligatoire pour la location d'un véhicule.

Les pompes à essence sont généralement en fonction de 7 à 21 h. Elles sont souvent fermées le dimanche.

• **Bateau :** il est possible de louer des bateaux avec ou sans guide. S'adresser à son hôtel ou à son représentant ou sa représentante.

BON VOYAGE!

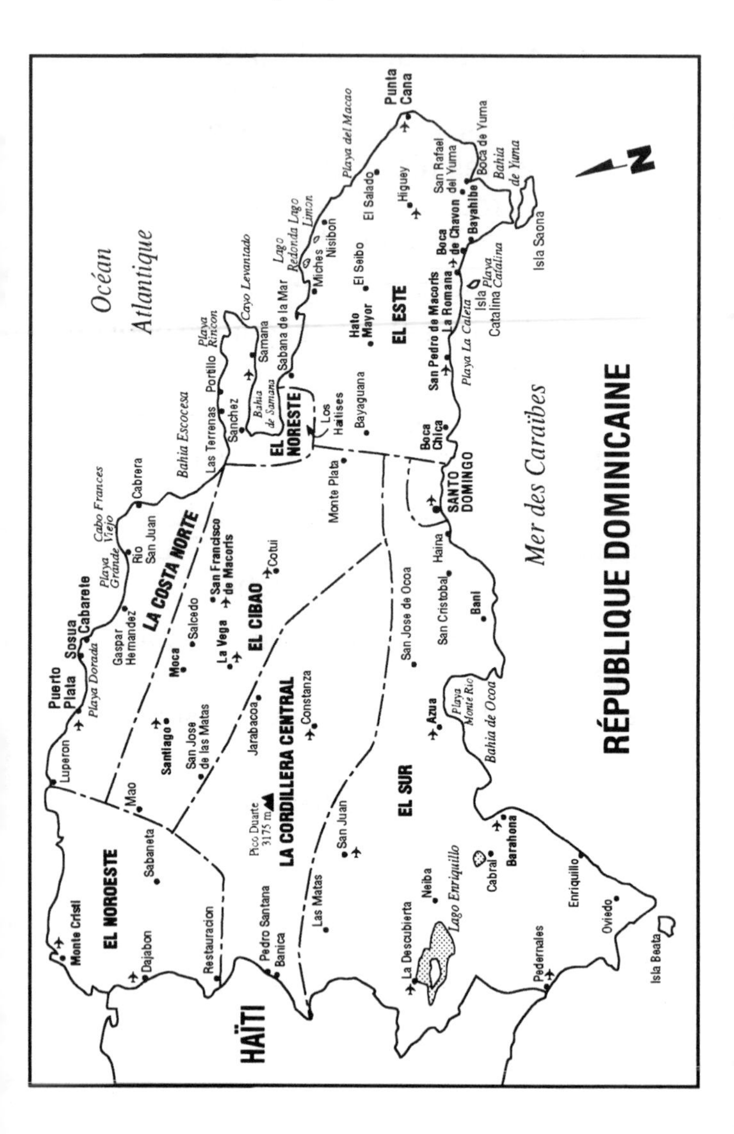
Océan
Atlantique
Mer des Caraïbes
RÉPUBLIQUE DOMINICAINE
HAÏTI
EL NOROESTE
LA COSTA NORTE
EL CIBAO
LA CORDILLERA CENTRAL
EL SUR
EL NORESTE
EL ESTE
Monte Cristi
Dajabon
Restauracion
Sabaneta
Mao
Luperon
Puerto Plata
Playa Dorada
Sosua
Cabarete
Gaspar Hernandez
Playa Grande
Rio San Juan
Cabo Frances Viejo
Cabrera
Bahia Escocesa
Las Terrenas
Sanchez
Portillo
Playa Rincon
Samana
Bahia de Samana
Cayo Levantado
Sabana de la Mar
Los Haitises
Lago Redonda
Lago Limon
Miches
Nisibon
Playa del Macao
Punta Cana
El Salado
Higuey
San Rafael del Yuma
Boca de Yuma
Bahia de Yuma
Bayahibe
Boca de Chavon
Isla Saona
Playa Catalina
Isla Catalina
La Romana
San Pedro de Macoris
Playa La Caleta
El Seibo
Hato Mayor
Bayaguana
Monte Plata
Boca Chica
SANTO DOMINGO
Haina
San Cristobal
Bani
San Jose de Ocoa
Playa Monte Rio
Bahia de Ocoa
Azua
Cotui
San Francisco de Macoris
Salcedo
La Vega
Moca
Santiago
San Jose de las Matas
Jarabacoa
Constanza
Pico Duarte 3175 m
San Juan
Las Matas
Pedro Santana
Banica
La Descubierta
Neiba
Lago Enriquillo
Cabral
Barahona
Enriquillo
Oviedo
Pedernales
Isla Beata
N

AVANT DE PARTIR...

AVANT DE PARTIR...

AVANT DE PARTIR...

À NE PAS OUBLIER

À NE PAS OUBLIER

À NE PAS OUBLIER

À NE PAS MANQUER

À NE PAS MANQUER

À NE PAS MANQUER

À RAPPORTER...

À RAPPORTER...

À RAPPORTER...

À RAPPORTER...